Carlos Lyra

HARMONIA PRÁTICA DA BOSSA-NOVA

Método para Violão

Inclui CD com 9 trilhas contendo demonstrações de ritmos e 17 músicas para ouvir e acompanhar com o violão

Nº Cat. - 350-M

IRMÃOS VITALE
Editores - Brasil

© Copyright 1999 by Irmãos Vitale S.A. Ind. e Com. - São Paulo - Brasil.
Todos os direitos autorais reservados para todos os países. *All rights reserved.*

Dados Internacionais de Catalogação na Publicação (CIP)
(Câmara Brasileira do Livro, SP, Brasil)

Lyra, Carlos
  Harmonia Prática da Bossa-Nova : método para violão / Carlos Lyra.
São Paulo : Irmãos Vitale.

  1. Bossa-Nova – Música   2. Violão – Estudo e ensino
  I. Título.

  ISBN nº 85-7407-074-2
99-2892   ISBN nº 978-85-7407-074-2   CDD-787. 8707

Índices para catálogo sistemático:

1. Violão : Estudo e ensino : Música   787-8707

Editoração computadorizada
Luciano Alves

Revisão musical
Carlos Lyra e Claudio Hodnik

Revisão final de texto
Maria Elizabete Santos Peixoto

Capa
Marcia Fialho

Fotografias
Erik de Barros Pinto

Produção executiva
Fernando Vitale

Gravado, mixado e masterizado por
Alexandre Moreira

Gravação e mixagem
Estúdio Rio Mix

Masterização
Vison Digital

Para minha filha Kay

Agradeço à inestimável colaboração dos amigos:

Magda Botafogo, pela paciência constante na revisão do texto, desenhos e montagem dos gráficos deste método.

Antonio Adolfo, pela revisão musical, além dos preciosos conselhos e sugestões provenientes do mais sólido conhecimento musical e experiência didática.

ÍNDICE

Prefácio 7
Apresentação 8
Introdução 9

Parte 1 - Preliminares 11
Notas musicais e cifras 13
Acidentes 13
Enarmonia 14
Modos 14
Tônica e fundamental 14
Tom e tonalidade 14
Modo 14
Escala 15
O violão 16
Intervalos 18
Quadro de intervalos 21
Acorde 23
Formação dos acordes 23
Digitação dos acordes no violão 24
Tons básicos 24
Acordes nos tons básicos 24
Reprodução dos acordes no braço do violão 25
Acordes principais do tom 26
Tom homônimo 26
Tom relativo 27
Ritmo 27
      Valsa (CD faixa 1) 28
      Samba-canção (CD faixa 2) 28
      Toada (CD faixa 3) 28
      Baião (CD faixa 4) 28
      Baião toada (CD faixa 5) 29
      Marcha-rancho (CD faixa 6) 29
      Samba bossa-nova (ritmo básico - CD faixa 7) 29
      Samba bossa-nova (variação 1 - CD faixa 8) 30
      Samba bossa-nova (variação 2 - CD faixa 9) 30

Parte 2 - Harmonia Básica 31
Resolução 33
Resoluções ampliadas 38
Modulação 39
Inversões 41
Inversões nos tons básicos 43
Encadeamento e resolução dos acordes invertidos 44
Análise harmônica 47

Parte 3 - Harmonia Prática **51**
Acordes dissonantes 53
Acordes substitutos de tônicas menores e subdominantes menores 55
Acordes substitutos de subdominantes menores 59
Acordes substitutos de tônicas maiores e subdominantes maiores 60
Acordes substitutos do acorde maior com 7ª menor ou dominante 64

Parte 4 - Convenções **73**
Claves 75
Compassos 75
Armaduras de clave 75
Sinais de repetição 76
Os acordes nas partituras 78
As letras nas partituras 78

Parte 5 - Músicas **79**
Comedor de gilete   (CD faixa 10) 81
Canção que morre no ar   (CD faixa 11) 84
Coisa mais linda   (CD faixa 12) 86
Entrudo   (CD faixa 13) 88
Feio, não é bonito   (CD faixa 14) 90
Influência do *jazz*   (CD faixa 15) 92
Lobo bobo   (CD faixa 16) 94
Marcha da quarta-feira de cinzas   (CD faixa 17) 96
Maria Moita   (CD faixa 18) 98
Maria Ninguém   (CD faixa 19) 100
Minha namorada   (CD faixa 20) 102
Sabe você?   (CD faixa 21) 104
Primavera   (CD faixa 22) 106
Samba do Carioca   (CD faixa 23) 109
Saudade fez um samba   (CD faixa 24) 110
Se é tarde me perdoa   (CD faixa 25) 111
Você e eu   (CD faixa 26) 112

Gráficos para exercícios 113
Bibliografia 115

PREFÁCIO

A sua obra por si só já consiste num vasto material para estudo por parte de quem quer que entenda do assunto "Harmonia/Melodia" e Bossa-Nova. As reflexões do Carlinhos, no entanto, são posteriores à criação de sua música. Como ele mesmo citou, e eu concordo, a frase "As regras são consequência da música e não o contrário" diz tudo.

Eu também, como compositor e didata, considero que o autor que busca a beleza na criação de sua música é quem pode, com maior autoridade, comentá-la tecnicamente. Principalmente se ele tem uma experiência como didata assim como o Carlinhos, que foi o pioneiro das escolas e métodos de Bossa-Nova para o violão. Sua academia em Copacabana fez "escola" e história. Formou e informou a muitos o que era o caminho harmônico, sem precedentes, de um estilo que influenciou e ainda vai influenciar por muito tempo músicos do mundo inteiro.

É maravilhoso criar didática. Quase quanto compor. É com muito respeito que todos os que estudarem este livro devem encarar as colocações de um mestre da música em todos os sentidos.

Antonio Adolfo

APRESENTAÇÃO

Carlos Lyra, uma caixa de surpresas

Carlinhos é uma pessoa que me surpreende a cada momento.

Quando o conheci, em meados dos anos 50, surpreendeu-me com suas melodias tão adiantadas para a época e que tanto me fascinaram.

Pouco tempo mais tarde, quando estávamos lançando a Bossa-Nova, achando que era a vertente única e interminável da nova música brasileira, Carlinhos parte para o "Sambalanço", que era uma variante da Bossa-Nova.

Quando tudo se abre para nós no Brasil, Lyra parte para os Estados Unidos e acaba morando um tempo no México!

Agora, recentemente, me surpreendeu de uma forma super agradável, me convidando para produzir seu mais recente disco, "Carioca de Algema".

Quando acho que nada mais me surpreenderá, ele me chega com um método de violão, enfocando as harmonias ligadas à Bossa-Nova, mas ao mesmo tempo com uma explanação bem ampla dos conceitos musicais gerais.

Pareceu-me um método bem prático, direto, objetivo.

Parabéns Carlinhos, não sei como, com que tempo você conseguiu realizar este trabalho. Tenho certeza que será muito útil para os futuros violonistas (de música boa).

Roberto Menescal

INTRODUÇÃO

Este livro é apenas um ponto de partida. Também não chega a ser um ABC. Espera-se mesmo que o leitor possua algum rudimento musical tal como ter idéia das notas musicais, diferenciar melodia (sequência de notas) de harmonia (sequência de acordes), etc. E, naturalmente, que tenha um mínimo de senso rítmico.

Na verdade, pode-se utilizar este método de duas maneiras. Para o leitor que já conhece alguma coisa de violão e cifras, basta familiarizar-se, rapidamente, com as convenções e passar, em seguida, à Parte II. Já o iniciante, deverá examiná-lo na íntegra, para o que se recomenda, como complemento deste trabalho, a aquisição de um manual de teoria musical, assim como um método que o oriente no estudo da técnica do violão (v. bibliografia, p. 115).

O leitor também não deverá se preocupar em aprender ou memorizar as regras de harmonia utilizadas neste método (as regras são consequência da música e não o contrário), mas sim executar os exemplos no instrumento e transpô-los, sistematicamente, para os outros tons, como recomendam os exercícios.

Para o iniciante, o assunto não há de ser tão fácil quanto se podia desejar, mas nem tão difícil quanto possa parecer numa folheada rápida e inicial. Ainda assim, para suavizar a tarefa e torná-la mais agradável, foram utilizados um mínimo de teoria e um máximo de exemplos musicais (extraídos de canções do próprio autor desta obra) buscando, através deles, transmitir da maneira mais prática possível conhecimentos harmônicos aplicados ao violão.

E, finalmente, convém esclarecer que não acreditamos que Bossa-Nova seja apenas Samba, e sim um estilo de música popular que, independentemente das influências marcantes do *Jazz* norte-americano, do impressionismo de Ravel e Debussy e da música de autores nacionais como Villa Lobos, engloba os mais distintos e variados ritmos brasileiros: samba, marcha-rancho, modinha, baião, valsa, samba-canção, para citar alguns.

Se bem que este método se dedique, particularmente, ao estilo Bossa-Nova de harmonizar, queremos crer que, no geral, pode ser aproveitado em qualquer tipo de música.

Carlos Lyra

PARTE 1

Preliminares

NOTAS MUSICAIS E CIFRAS

Cifra é um sistema internacional de notação que serve para representar as notas musicais por letras, assim:

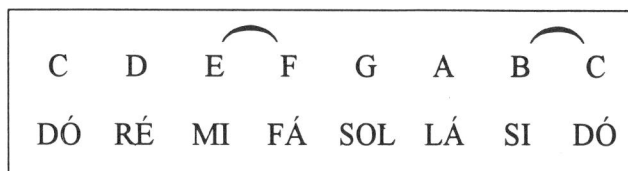

Entre as notas musicais Mi (E) e Fá (F) e entre as notas Si (B) e Dó (C) existe uma distância, ou intervalo, de um semitom, enquanto que entre as outras o intervalo é de dois semitons ou um tom.

ACIDENTES

As sete notas naturais podem ser alteradas pelos acidentes:

Sustenido (♯)	aumenta a nota em 1 semitom
Bemol (♭)	diminui a nota em 1 semitom
Dobrado sustenido (𝄪)	aumenta a nota em 2 semitons ou 1 tom
Dobrado bemol (♭♭)	diminui a nota em 2 semitons ou 1 tom
Bequadro (♮)	anula os efeitos dos acidentes anteriores

As notas acidentadas, representadas por cifras, ficam:

Dó sustenido ou Ré bemol	C♯ ou D♭
Ré sustenido ou Mi bemol	D♯ ou E♭
Fá sustenido ou Sol bemol	F♯ ou G♭
Sol sustenido ou Lá bemol	G♯ ou A♭
Lá sustenido ou Si bemol	A♯ ou B♭

E também:

Mi sustenido ou Fá	E♯ ou F
Fá bemol ou Mi	F♭ ou E
Si sustenido ou Dó	B♯ ou C
Dó bemol ou Si	C♭ ou B

Ou ainda:

Dó dobrado sustenido ou Ré	C𝄪 ou D
Ré dobrado bemol ou Dó	D♭♭ ou C
etc.	

ENARMONIA

Chamam-se enarmônicos os sons (notas, escalas, tons e acordes) que sejam idênticos mas que possuam nomes diferentes:

        Dó sustenido ou Ré bemol   C# ou Db
        Mi sustenido ou Fá   E# ou F
        Fá dobrado sustenido ou Sol   F𝄪 ou G
        Si dobrado bemol ou Lá   B𝄫 ou A
        etc.

MODOS

Quando se trata de representar os Modos (maior ou menor) de uma escala, tom ou acorde, as cifras são escritas assim:

        Escalas de Dó maior ou Dó menor   C ou Cm
        Tons de Mi maior ou Mi menor   E ou Em
        Acordes de Si bemol maior ou Si bemol menor   Bb ou Bbm
        Acordes de Fá sustenido maior ou Fá sustenido menor   F# ou F#m
        etc.

> NOTA: O leitor deverá familiarizar-se com o sistema de cifras porque daqui em diante nos referiremos às notas, tons, acordes, etc., pelos seus correspondentes na notação de cifras.

TÔNICA E FUNDAMENTAL

Tônica é a nota principal (grau I) de uma escala ou de um tom. A nota C (dó) é a nota principal tanto dos tons como das escalas de Dó maior (C) e Dó menor (Cm). Nos acordes, a nota tônica toma o nome de Fundamental.

TOM E TONALIDADE

Tom é a altura, ou seja, abaixamento ou elevação do som (não confundir com volume). Tonalidade é um trecho de música em que predomina um tom.

MODO

O modo de um tom, escala ou acorde pode ser maior ou menor, segundo utilização do grau III (maior) ou IIIm (menor) da escala.

ESCALA

Escala é uma sequência de notas, formada por graus sucessivos, representados por algarismos romanos. As escalas utilizadas pela Harmonia Prática são a Escala Maior e a Escala Menor Harmônica. A diferença entre elas é que os graus III e VI são maiores (M) na Escala Maior, e menores (m) na Escala Menor. Os demais graus são idênticos e comuns a ambas as escalas.
Exemplos:

Escala de Dó Maior (C)

I	II	III	IV	V	VI	VII	VIII
C	D	E	F	G	A	B	C
dó	ré	mi	fá	sol	lá	si	dó

Escala de Dó menor harmônica (Cm)

I	II	IIIm	IV	V	VIm	VII	VIII
C	D	E♭	F	G	A♭	B	C
dó	ré	mi♭	fá	sol	lá♭	si	dó

Os graus da escala serão identificados como maiores quando os algarismos romanos que os designam se apresentarem sem alterações (Ex: I, III, VII). Serão identificados como menores quando os mesmos algarismos romanos estiverem seguidos da letra "m" (Ex: Im, IIIm, VIIm).

O VIOLÃO

O violão tem seis cordas que, da mais grossa (6ª) para a mais fina (1ª), e quando estão soltas, denominam-se:

6ª	5ª	4ª	3ª	2ª	1ª
Mi	Lá	Ré	Sol	Si	Mi
E	A	D	G	B	E

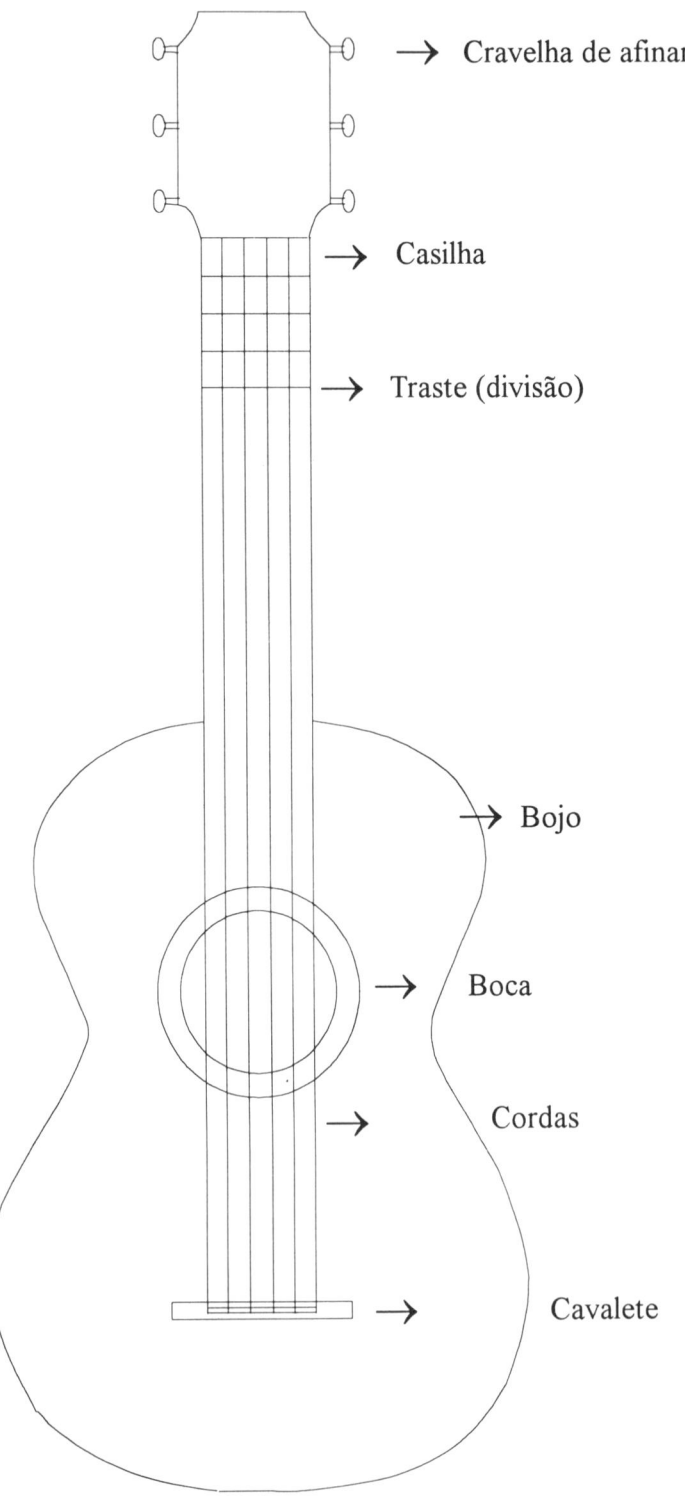

→ Cravelha de afinar

→ Casilha

→ Traste (divisão)

→ Bojo

→ Boca

→ Cordas

→ Cavalete

Pressionando-se as cordas nas diferentes casilhas, obtém-se o som das notas subsequentes que se estendem e se repetem pelo braço do violão, assim:

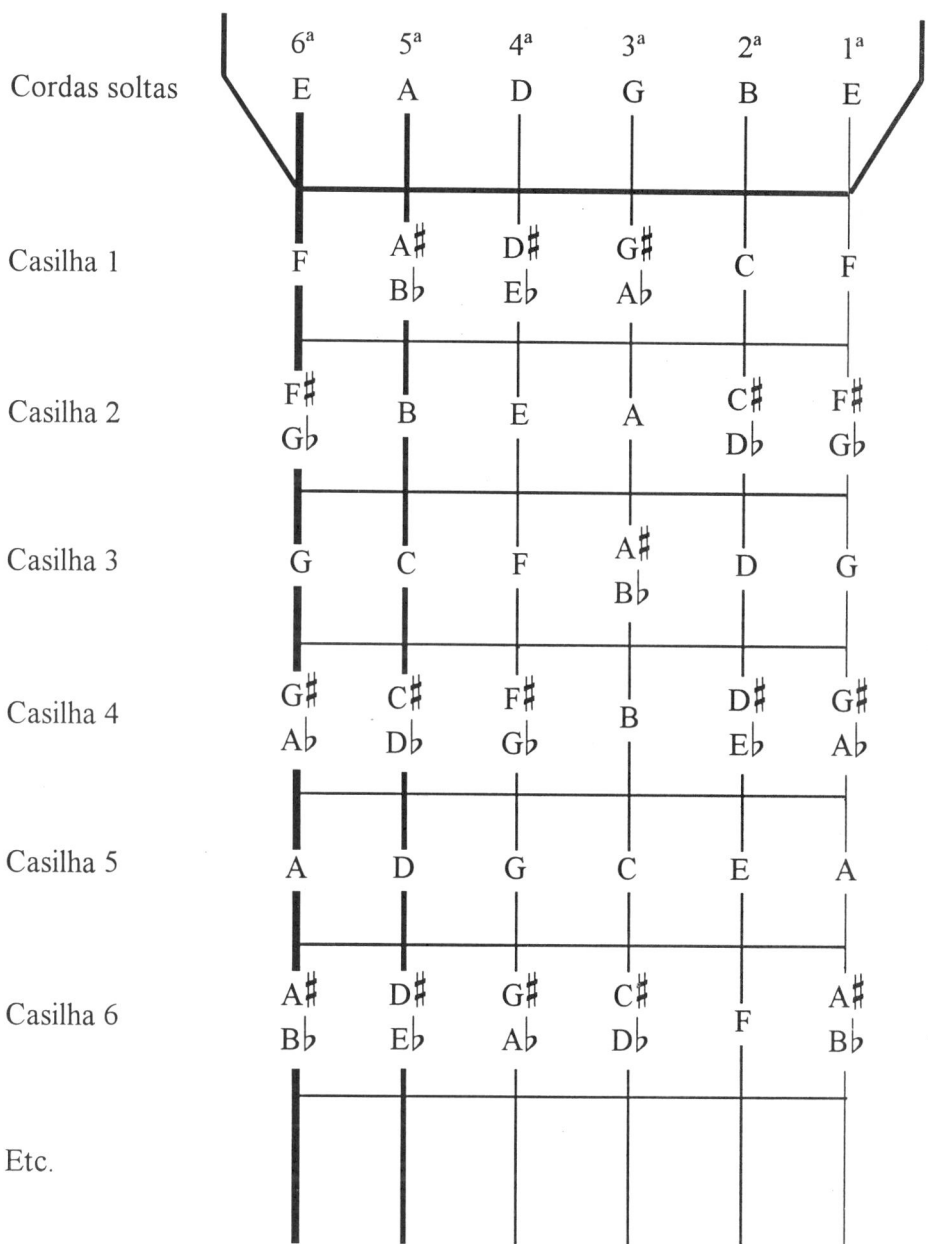

Da 6ª para a 1ª, cada corda pressionada na casilha V reproduz o som da corda seguinte solta. Exceção feita à 3ª corda (G) que, para reproduzir o som da 2ª corda (B) solta, deverá ser pressionada na casilha 4. (v. gráfico acima).

NOTA: O leitor deverá familiarizar-se com as notas, no braço do violão, pelo menos até a casilha 5, o que favorecerá a compreensão da formação dos acordes no instrumento, intervalos, execução de escalas, etc.

INTERVALOS

Intervalo é a distância entre duas notas. Dependendo de quantos tons ou semitons existem, precisamente, entre as duas notas, os intervalos podem ser menores, maiores, justos, aumentados ou diminutos.

Exemplos:

de C a D♭ (2ª menor)
de C a D   (2ª maior)
de C a D♯ (2ª aumentada)
de C a G♭ (5ª diminuta)
de C a G   (5ª justa)
de C a G♯ (5ª aumentada)
etc.

Os intervalos são inúmeros mas, para o uso da Harmonia Prática, apenas alguns deles serão empregados. Podem ser divididos em dois grupos:

a) **Intervalos simples**, ou seja, os que permanecem dentro de uma mesma oitava:

b) **Intervalos compostos**, ou seja, os que ultrapassam uma oitava. Resultam da soma do intervalo simples, mais 7.

Exemplos:

2ª menor	+ 7	=	9ª menor (♭9)
4ª justa	+ 7	=	11ª justa (11)
6ª maior	+ 7	=	13ª maior (13)
etc.			

Observe que se um intervalo simples for menor, maior, justo, aumentado ou diminuto, seu equivalente composto será, igualmente, menor, maior, justo, aumentado ou diminuto.

Os intervalos compostos utilizados na Harmonia Prática são os seguintes:

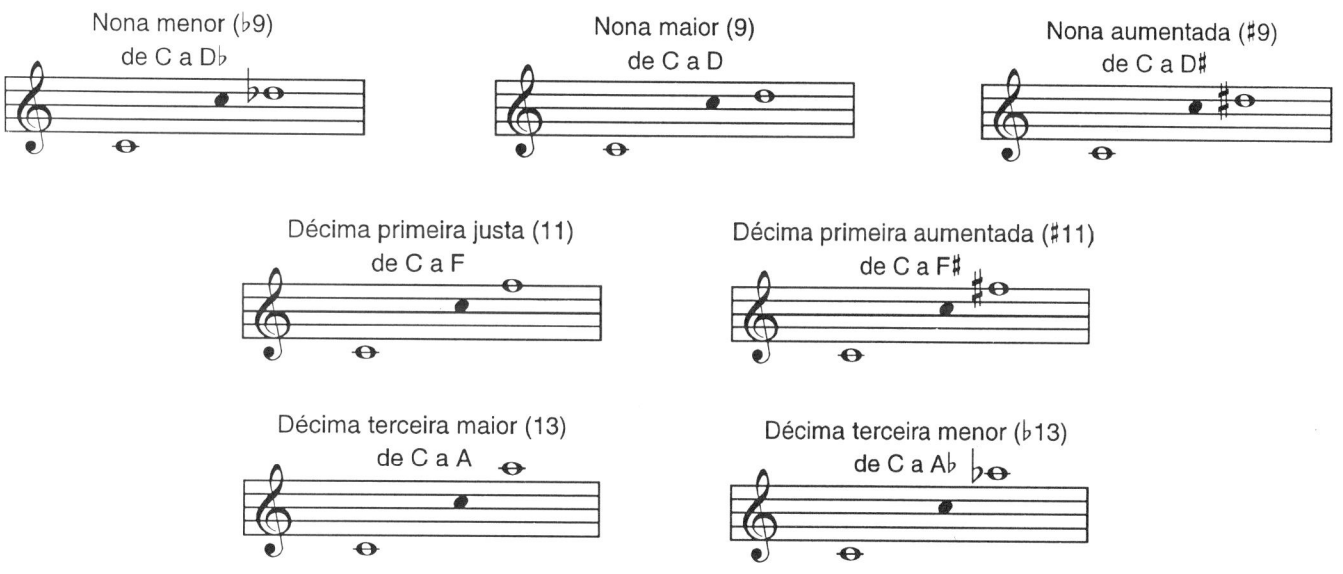

Intervalos ascendentes e descendentes

O intervalo é ascendente quando vai da nota mais grave para a mais aguda. O intervalo descendente é o inverso: vai da nota mais aguda para a mais grave.

Exemplo:

NOTA: As cifras para os intervalos não seguem, como se pode observar, um sistema uniforme. Isso se deve à existência de uma inúmera quantidade de sistemas de notação. Assim, alguns intervalos são cifrados com letras (3m, 3M e 7M), enquanto que outros utilizam-se dos acidentes (♯4, ♭5, ♯5, ♭6, ♭9, ♯9, ♯11 e ♭13). Alguns são cifrados de maneira *sui-generis* (7° ou 7dim) enquanto que outros não utilizam nenhuma cifra específica, como os justos (4, 5, 8 e 11), a sexta maior (6), a sétima menor (7) e a nona maior (9). As cifras principais são escritas assim:

3ª maior = 3M   6ª maior = 6   9ª maior = 9
3ª menor = 3m   6ª menor = ♭6   9ª menor = ♭9
4ª justa = 4   7ª menor = 7   9ª aumentada = ♯9
5ª justa = 5   7ª maior = 7M   11ª justa = 11
5ª diminuta = ♭5 7ª diminuta = 7° 11ª aumentada = ♯11
5ª aumentada = ♯5 8ª justa = 8   13ª maior = 13
                                  13ª menor = ♭13

Exercício: Completar os intervalos, nos pentagramas que seguem, escrevendo as notas ou colocando acima dos pentagramas o nome por extenso dos intervalos e as cifras correspondentes. (Conferir pelo Quadro de Intervalos da p. 21). Os intervalos iniciais funcionam como exemplos.

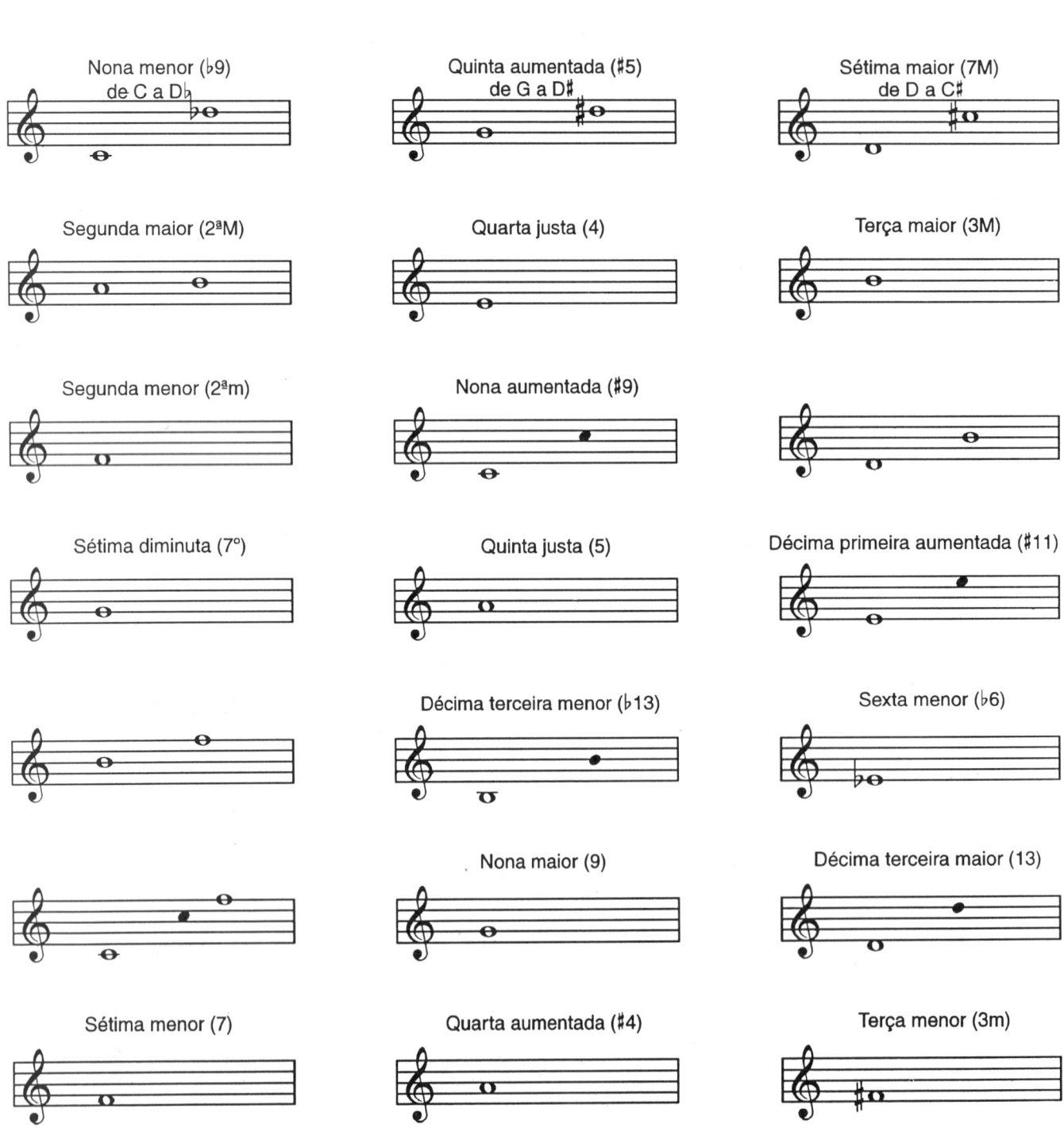

QUADRO DE INTERVALOS (para os tons naturais)

No quadro a seguir, os algarismos romanos representam os graus das escalas (maiores ou menores), enquanto que os arábicos representam os intervalos utilizados na Harmonia Prática. Na linha horizontal da 1ª oitava estão os intervalos que permanecem dentro da mesma oitava. Na linha horizontal da 2ª oitava estão os intervalos compostos (que ultrapassam a oitava).

2ª oitava	♭9	9	#9		11	#11		♭13	13			
1ª oitava			3m	3M	4	#4 / ♭5	5	♭6 / #5	7° / 6		7m	7M
Graus	I	II	III		IV	V		VI			VII	VIII
Tons	C	D♭	D	D# / E♭	E	F	F# / G♭	G	A♭ / G#	B♭♭ / A	B♭	B	C
	D	E♭	E	E# / F	F#	G	G# / A♭	A	B♭ / A#	C♭ / B	C	C#	D
	E	F	F#	Fx / G	G#	A	A# / B♭	B	C / B#	D♭ / C#	D	D#	E
	F	G♭	G	G# / A♭	A	B♭	B / C♭	C	D♭ / C#	E♭♭ / D	E♭	E	F
	G	A♭	A	A# / B♭	B	C	C# / D♭	D	E♭ / D#	F♭ / E	F	F#	G
	A	B♭	B	B# / C	C#	D	D# / E♭	E	F / E#	G♭ / F#	G	G#	A
	B	C	C#	Cx / D	D#	E	E# / F	F#	G / Fx	A♭ / G#	A	A#	B

21

Para formar os intervalos dos tons acidentados, não contidos no Quadro de Intervalos, basta aumentar ou diminuir um semitom em cada uma das notas do tom natural. É preciso cuidado, no entanto, para manter-se as mesmas notas do tom natural, modificando, apenas, os acidentes.

Exemplos:

>1/2 tom acima de C é C♯
>1/2 tom abaixo de C é C♭
>1/2 tom acima de B é B♯
>1/2 tom abaixo de B♭ é B♭♭

Isto porque para se obter um intervalo qualquer, por exemplo de 7ª, a partir de C, esta 7ª deverá ser sempre B (grau VII a partir de C), mudando somente o acidente, assim:

>De C a B♭ = 7ª menor
>De C a B = 7ª maior
>De C a B♭♭ = 7ª diminuta

E não A (enarmônico de B♭♭), que é uma 6ª, ou seja, grau VI a partir de C.

Da mesma forma, para se obter um intervalo de 5ª, a partir de E, este deverá ser sempre B, para todos os intervalos de 5ª, assim:

>De E a B♭ = 5ª diminuta
>De E a B = 5ª justa
>De E a B♯ = 5ª aumentada

E não C (enarmônico de B♯), que é uma 6ª, ou seja, grau VI a partir de E.

NOTA: Observe esses casos com o auxílio do Quadro de Intervalos (p.21).

Exercício: Fazer um Quadro de Intervalos para os 5 tons acidentados (C♯ ou D♭, D♯ ou E♭, F♯ ou G♭, G♯ ou A♭ e A♯ ou B♭), tal como o dos tons naturais da página 21.

ACORDE

Acorde é um conjunto de três ou mais notas que se ouve simultaneamente. Os acordes fundamentais para a Harmonia Prática são os seguintes:

> Acorde Perfeito Maior
> Acorde Perfeito Menor
> Acorde Maior com 7ª menor

Todos os demais acordes existentes substituem, de certa maneira, esses três acordes fundamentais.

FORMAÇÃO DOS ACORDES

O Acorde Perfeito Maior é formado pelos graus I, III e V.
O Acorde Perfeito Menor é formado pelos graus I, IIIm e V.
O Acorde Maior com 7ª menor é formado pelos graus I, III, V e VIIm, ou seja, o acorde Perfeito Maior acrescido do grau VIIm.

Exemplos:

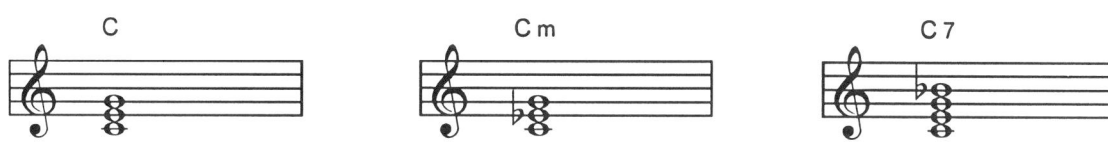

Os graus do acorde não precisam seguir, necessariamente, a ordem I, III (ou IIIm), V, VIIm. Quando os graus estão nessa ordem, diz-se que o acorde está na ordem direta, como nos exemplos acima. Em qualquer outra ordem, o acorde estaria na ordem inversa, assim:

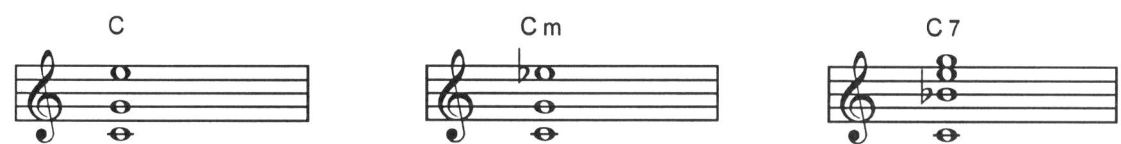

A nota principal de um acorde (grau I) chama-se Fundamental e quando ela está no baixo (nota mais grave do acorde), como nos exemplos acima, o acorde está no Estado Fundamental. Quando outros graus (III, IIIm, V ou VII) se encontram no baixo, tem-se as Inversões, que serão estudadas mais adiante.

Os graus de um acorde podem se repetir indefinidamente. No Estado Fundamental, o acorde deve conter, obrigatoriamente, a Tônica (grau I) assim como o grau III (ou IIIm) que define o modo do acorde, ou seja, se ele é maior ou menor. O grau V, no entanto, pode ser suprimido sem prejuízo para o acorde.

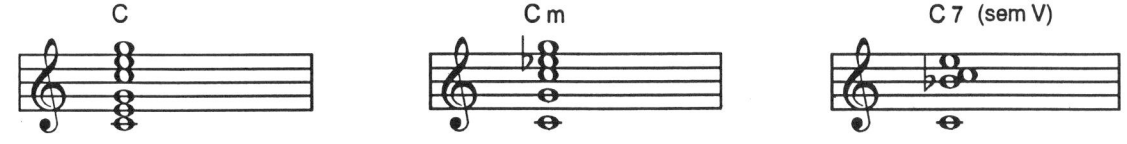

DIGITAÇÃO DOS ACORDES NO VIOLÃO

Os pontilhos negros, distribuídos pelas diferentes casilhas, indicam os locais onde as cordas devem ser pressionadas pelos dedos da mão esquerda. A mão direita pulsa as cordas junto à boca do violão.

Os pontilhos vazados, na parte superior do gráfico, indicam quais cordas podem ou devem ser pulsadas. O primeiro pontilho à esquerda, por indicar o Baixo (nota mais grave do acorde), deve ter a corda correspondente pulsada pelo polegar da mão direita. As cordas não indicadas por pontilhos vazados não devem ser pulsadas.

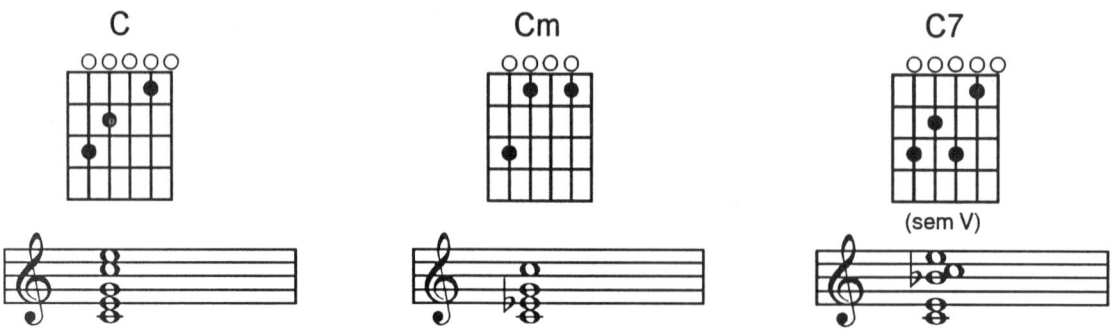

Observe, nos gráficos e pentagramas acima, que as notas dos acordes se repetem (e nem sempre na ordem I, III (ou IIIm), V e VIIm). No acorde de C7, o grau V (G) foi suprimido sem prejuízo para o acorde.

TONS BÁSICOS

No violão, todos os tons são utilizados, porém os que resultam mais cômodos para o instrumento são aqueles que têm por tônica as notas C, G, D, A e E. Esses tons serão chamados, daqui por diante, Tons Básicos.

ACORDES DOS TONS BÁSICOS

1- Perfeitos Maiores: C, G, D, A, E

2- Perfeitos Menores: Cm, Gm, Dm, Am, Em

3- Maiores com 7ª menor: C7, G7, D7, A7, E7

REPRODUÇÃO DE ACORDES NO BRAÇO DO VIOLÃO

Todos os acordes dos Tons Básicos podem ser deslocados, uma casilha acima, no braço do violão. Reproduz-se, dessa maneira, um acorde de 1/2 tom acima do Tom Básico. E assim, sucessivamente, a cada casilha que se avança. O algarismo à direita indica a casilha onde se inicia o acorde.

Exemplo: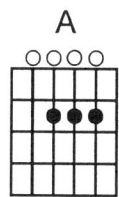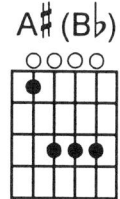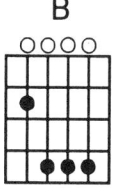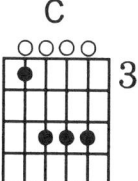

Pode-se, também, deslocar um acorde através da Pestana ou Meia-Pestana, isto é, quando o dedo indicador da mão esquerda pressiona todas ou algumas cordas, ao longo de uma casilha. O algarismo à direita da pestana, indica a casilha onde esta deve ser feita.

Exemplo: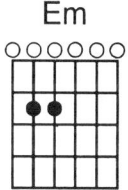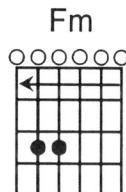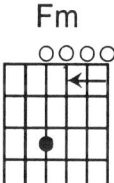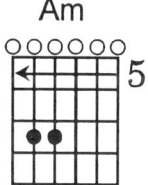

Alguns acordes dos Tons Básicos podem ser deslocados uma ou mais casilhas abaixo, reproduzindo acordes de 1/2 tom abaixo do Tom Básico e, assim sucessivamente, a cada casilha que se retrocede.

Exemplo: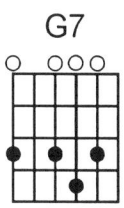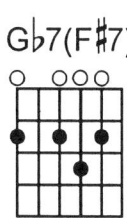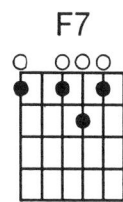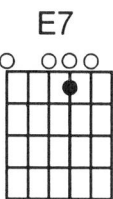

Dependendo do acorde, a mão direita tem mais de uma opção para pulsar as cordas. Observe pelos círculos vazados que, em certos acordes, somente 4 cordas podem ser pulsadas (Ex: Acorde 1 - B♭). Em outros, pode-se pulsar até todas as cordas (Ex: acorde 2 - E). Nesse último tipo, o acorde pode ser pulsado de várias maneiras (Ex: acordes 3, 4 e 5).

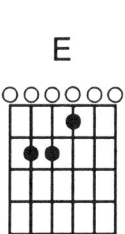 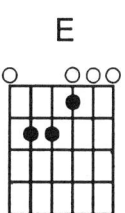 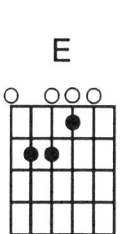

Exercício: Fazer, nos gráficos que seguem (preenchendo com pontilhos), os Acordes Maiores, Menores e Maiores com 7ª menor, dos tons acidentados com sustenido (#) e bemol (b), utilizando o sistema de reprodução dos acordes no braço do violão (p. 25).

F# (Gb)   C# (Db)   G# (Ab)   D# (Eb)   A# (Bb)

F#m (Gbm)   C#m (Dbm)   G#m (Abm)   D#m (Ebm)   A#m (Bbm)

F#7 (Gb7)   C#7 (Db7)   G#7 (Ab7)   D#7 (Eb7)   A#7 (Bb7)

ACORDES PRINCIPAIS DO TOM

Os Acordes Principais de um tom determinam a tonalidade e são os seguintes:

Tônica: Acorde maior ou menor, extraído do grau I ou Im da escala. Ex: C ou Cm

Dominante: Acorde maior com a sétima, extraído do grau V7 da escala. É comum aos modos maior e menor. Ex: G7

Os Acordes Principais de Tônica (I) e Dominante (V7), no tom de C, são C e G7 respectivamente. No tom de Cm são Cm e G7. Para se fazer sentir um tom ou tonalidade, execute os Acordes Principais na seguinte sequência ou encadeamento:

C   G7   C   ou   Cm   G7   Cm

Exercício: Determinar os Acordes Principais de Tônica (I) e Dominante (V7) dos 12 tons maiores. (v. Quadro de Intervalos da p. 21).

TOM HOMÔNIMO

Denominam-se Tons Homônimos aqueles que têm o mesmo nome e Modos (maior ou menor) diferentes. Ex: C e Cm

Observe, no Quadro de Intervalos, que a escala utilizada para o tom de C é a mesma utilizada para o Tom homônimo menor (Cm), guardando-se as devidas diferenças, sobretudo entre 3ª maior e 3ª menor (que caracterizam o modo maior ou menor do tom), e também entre 6ª maior e 6ª menor.

TOM RELATIVO

A cada tom maior corresponde um tom Relativo Menor, extraído do grau VIm da escala desse tom maior (v. Quadro de Intervalos na p. 21). O tom maior e seu Relativo menor possuem marcada afinidade entre si. Assim, o tom Relativo menor de C é Am.

O tom de Am utiliza-se da mesma escala que seu homônimo maior (A), donde os acordes fundamentais de Tônica (I) e Dominante (V7) são extraídos. Os Acordes Principais de Am são, portanto, Am e E7.

Exercício: Determinar os tons Relativos menores dos 12 tons maiores e os Acordes Principais de cada um.

RITMO

No violão, o ritmo é determinado, basicamente, pela mão direita que, como já se viu, pulsa as cordas. Para indicar a digitação dos ritmos, no lugar dos pontilhos vazados, usaremos, para a mão direita, o sistema de iniciais dos dedos:

P (Polegar)   I (Indicador)   M (Médio)   A (Anelar)

Um acorde pode, pois, ser executado em uma única pulsação, ou seja, todas as cordas ou notas pulsadas simultaneamente. A seguir, damos o exemplo de um acorde, representado em seu gráfico para violão, assim como no pentagrama e mais a digitação (P, I, M, A) com a qual deve ser pulsado. Tomemos, por exemplo, os acordes de C7M e G7(9):

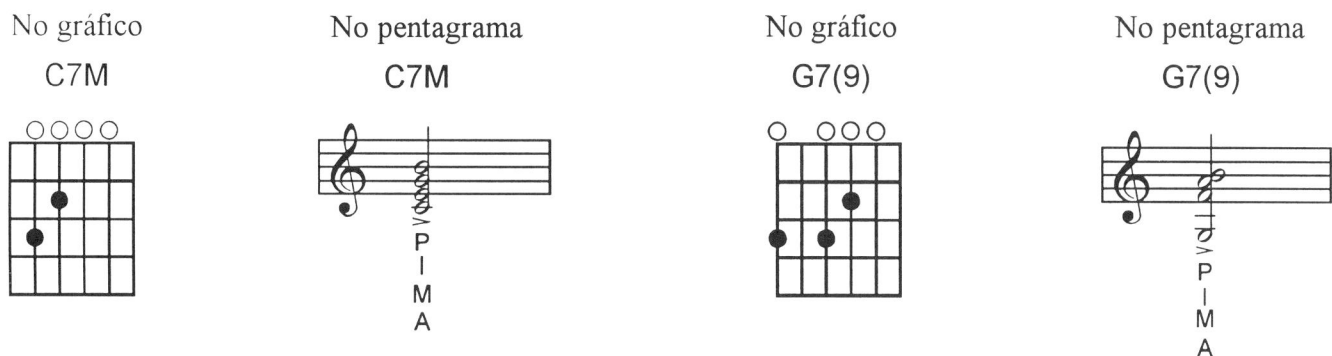

O acorde pode também ser executado em duas pulsações. Neste caso, o baixo, representado pela inicial "P", é pulsado separadamente do resto do acorde. Veja nos mesmos acordes do exemplo anterior:

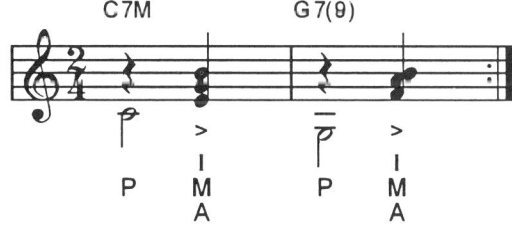

Os acordes podem ainda ser arpejados, ou seja, distribuídos entre várias pulsações, assim:

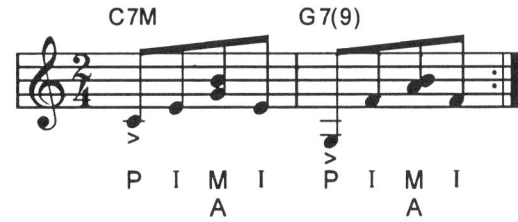

VALSA [CD faixa 1]

No ritmo de valsa (v. demonstração na faixa 1 do CD), o acorde é executado em três pulsações. Para maior clareza do ritmo, indicaremos a pulsação que deve ser destacada com o acento (>) sob a mesma. Isso indica que a primeira pulsação, no caso o baixo, pulsado pelo Polegar, deve ser executado mais fortemente do que as outras:

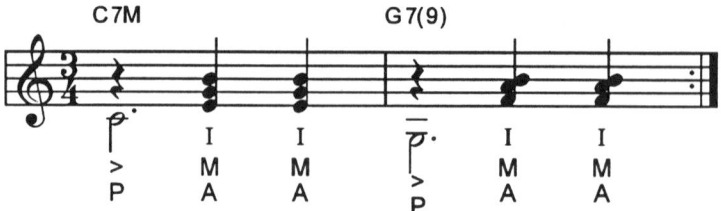

SAMBA-CANÇÃO [CD faixa 2]

Nos ritmos de samba-canção ou bolero o acorde possui, também, três pulsações, com a diferença de que a acentuação cai, não na primeira pulsação, como na valsa, mas na segunda, que, no caso, deve ser executada mais fortemente do que as outras, assim:

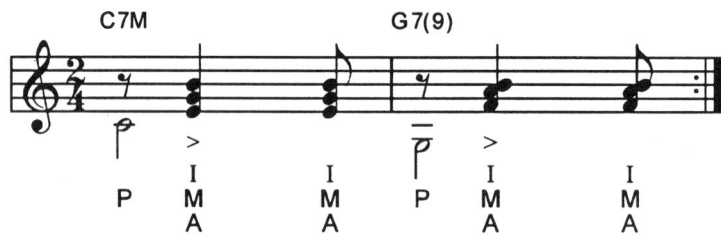

Como exemplos de músicas em ritmo de samba-canção, veja "Canção que morre no ar" (CD faixa 11), "Minha namorada" - 1ª parte (CD faixa 20) e "Primavera"- 1ª parte (CD faixa 22).

TOADA [CD faixa 3]

O ritmo de toada é semelhante ao do samba-canção, sendo que a segunda pulsação, na toada, é ligeiramente mais acentuada:

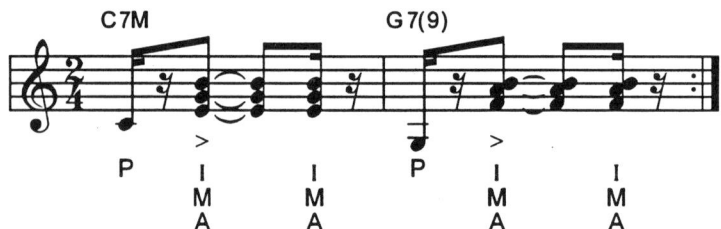

Como exemplo de música em ritmo de toada, veja "Maria Ninguém" (CD faixa 19).

BAIÃO [CD faixa 4]

O ritmo de baião pode ser arpejado em várias pulsações, acentuando-se, marcadamente, a primeira pulsação de cada acorde:

Como exemplo de música em ritmo de baião, veja a 1ª parte de "Comedor de gilete" (CD faixa 10).

BAIÃO-TOADA [CD faixa 5]

O ritmo de baião-toada é mais leve que o de baião e a acentuação também é feita na primeira pulsação de cada acorde arpejado:

Como exemplo de música em ritmo de baião-toada, veja a 2ª parte de "Comedor de gilete" (CD faixa 10).

MARCHA-RANCHO [CD faixa 6]

O ritmo de marcha-rancho é um ritmo quaternário distinto dos anteriores que, à exceção da valsa que é de ritmo ternário, são todos binários. Na marcha-rancho, além de se acentuar, marcadamente, a primeira pulsação de cada acorde, a última pulsação de cada acorde também deve ser acentuada:

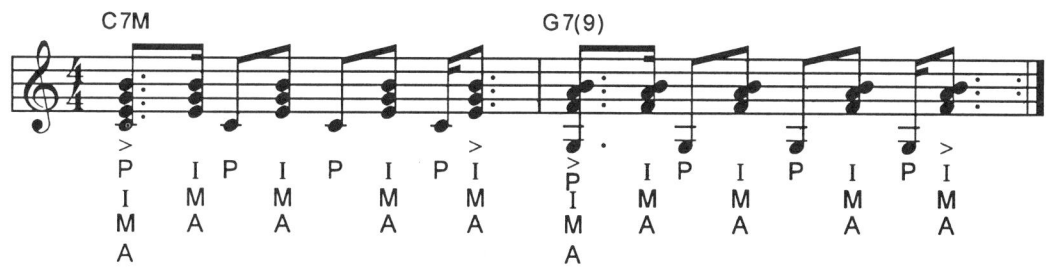

Como exemplos de música em marcha-rancho, veja "Entrudo" (CD faixa 13) e "Marcha da quarta-feira de cinzas" (CD faixa 17).

SAMBA BOSSA-NOVA (Ritmo básico) [CD faixa 7]

O ritmo de samba bossa-nova é um pouco mais difícil devido às síncopes, ou seja, acentuações que podem ocorrer em tempos fracos. No exemplo que segue temos um ritmo básico de samba bossa-nova onde, além da acentuação normal na primeira pulsação do acorde, observa-se uma acentuação secundária na última pulsação de cada acorde.

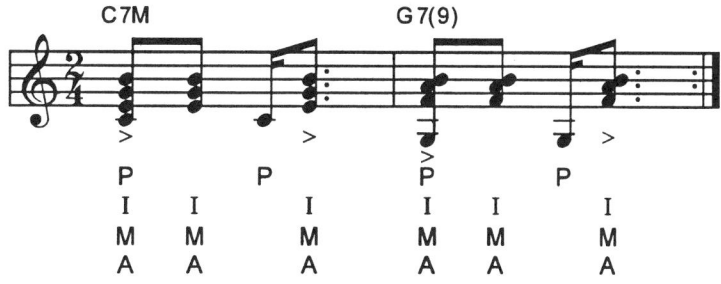

SAMBA BOSSA-NOVA (Variação 1) [CD faixa 8]

Na variação 1 do ritmo de samba bossa-nova a última pulsação de cada acorde é um baixo antecipado. Observe que a última pulsação do acorde de C7M é o baixo do G do acorde seguinte de G7(9). Da mesma maneira, a última pulsação do acorde de G7(9) é o baixo C do acorde seguinte de C7M.

SAMBA BOSSA-NOVA (Variação 2) [CD faixa 9]

Na variação 2 do ritmo de samba bossa-nova, além do baixo antecipado (p), na última pulsação de cada acorde, encontramos, também, o acorde antecipado (IMA). Observe, no exemplo a seguir, que a última pulsação do acorde de G7(9) é um acorde de C7M antecipado e ligado a ele mesmo no compasso posterior.

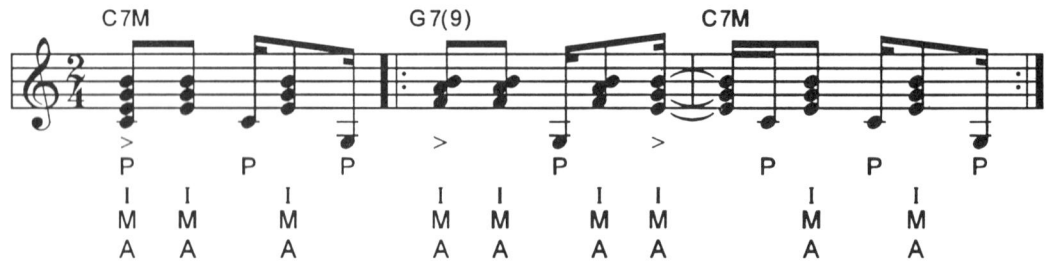

Procuramos com as variações acima, determinar um ponto de partida para o ritmo da bossa-nova. Cabe ao leitor, além de praticar as demonstrações do CD, buscar um aperfeiçoamento desse ritmo tentando outras variações e, sobretudo, ouvir os bons executantes do estilo bossa-nova.

Como exemplos de músicas em ritmo de samba bossa-nova, veja "Saudade fez um samba" (CD faixa 24), "Se é tarde me perdoa" (CD faixa 25), "Você e eu (CD faixa 26) e outras.

PARTE 2

Harmonia Básica

RESOLUÇÃO

Diz-se que um acorde resolve em outro quando o primeiro conclui ou tem desfecho no segundo. O caso mais comum é a resolução natural do Acorde de Dominante (V7) no Acorde de Tônica (I ou Im) ou, até mesmo, em outro acorde de Dominante (Acorde Maior com 7ª menor).

Essa resolução natural se deve à atração que existe entre certas notas do acorde de Dominante e outras notas do acorde de Tônica, onde a Dominante resolve. Há uma tendência, pois, de certas notas da Dominante resolverem em determinadas notas da Tônica.

É o caso da atração que a terça do acorde de Dominante (V7) exerce sobre a tônica (ou fundamental) do acorde de Tônica (I, Im, I7). Assim como a tendência da 7ª menor, do Acorde de Dominante, concluir na terça, do acorde de Tônica:

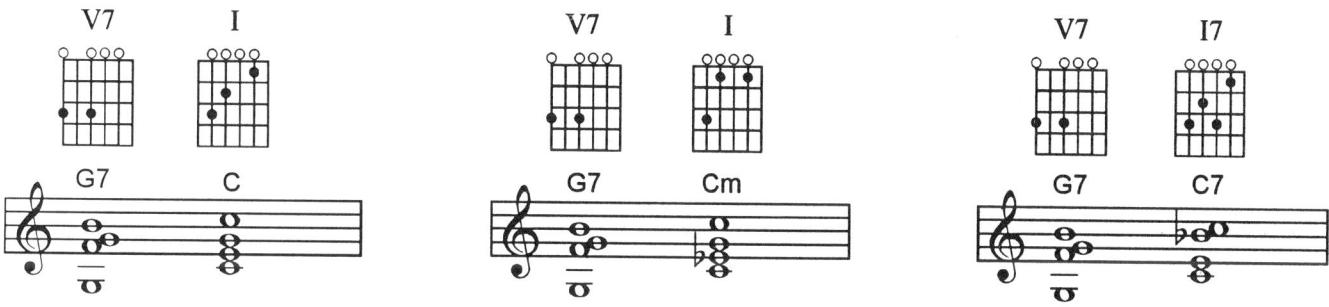

Existem outros tipos de resolução em que outros acordes fazem o papel de Dominante e, nesse caso, a atração natural entre as notas deixa de prevalecer para dar espaço à escolha de um encadeamento livre, porém adequado, entre os acordes.

Os exemplos que seguem parecerão, às vezes, demasiadamente simples ("quadrados"), nem sempre atendendo a uma harmonização definitiva como as das partituras da Parte IV. A simplificação se deve à necessidade de clareza desses mesmos exemplos mas após o estudo dos Acordes Dissonantes (p. 53 da Parte III), eles poderão ser revistos em forma mais adequada e sofisticada.

Assim, para atender às necessidades das melodias e maior embelezamento dos exemplos, será antecipado, antes mesmo de seu estudo, o uso de alguns acordes dissonantes. Para substituir os Acordes Perfeitos Menores serão usados, eventualmente, os Acordes Menores com 7ª (menor) ou Acordes menores com 6ª (maior). Para substituir os Acordes Perfeitos Maiores serão utilizados Acordes Maiores com 7ª maior. Em substituição às Dominantes (V7), serão empregados, de acordo com a necessidade, Acordes Maiores com 7ª (menor) e 9ª menor.

Para melhor situar o tom dos exemplos, recomenda-se fazer soar os Acordes Principais (I-V7-I) de cada tom, na sequência I (Im), V7, I (Im).

Sendo a resolução uma relação Dominante-Tônica, convém, antes de passar aos exemplos de resolução, esclarecer algumas particularidades relativas ao Acorde de Tônica Maior. Este acorde pode ser estendido através de seu acorde Relativo Menor (VIm). Exemplo: "Canção que morre no ar" – Tom = F♯ (p. 84).

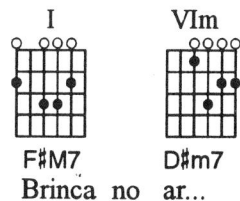

O acorde de Tônica Maior pode também ser substituído, quando no meio da música, pelo acorde do grau IIIm. Exemplo: "Minha namorada" – Tom = C (p. 102).

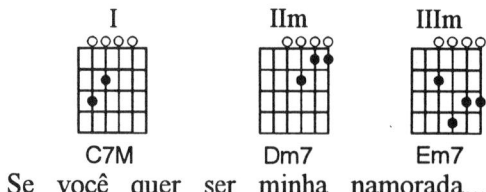

Se você quer ser minha namorada...

Isto significa que o acorde de Tônica Maior pode ser estendido pela Tônica do Relativo Menor (VIm) e ainda mais pelo grau IIIm, substituto de I. Exemplo: "Coisa mais linda" – Tom = A (p. 86).

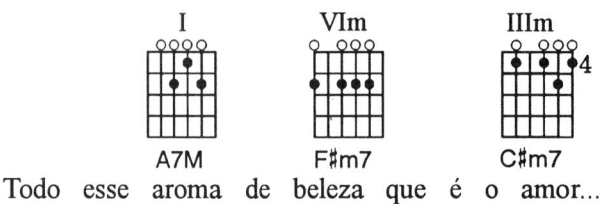

Todo esse aroma de beleza que é o amor...

1- Resolução da Dominante

Como já foi dito, o Acorde de Dominante ou Acorde Maior com 7ª menor (V7) resolve, naturalmente, nos Acordes de Tônica (I ou Im). Exemplos: "Comedor de gilete" – Tom = A (p. 81) e "Feio não é bonito" – Tom = Am (p. 90).

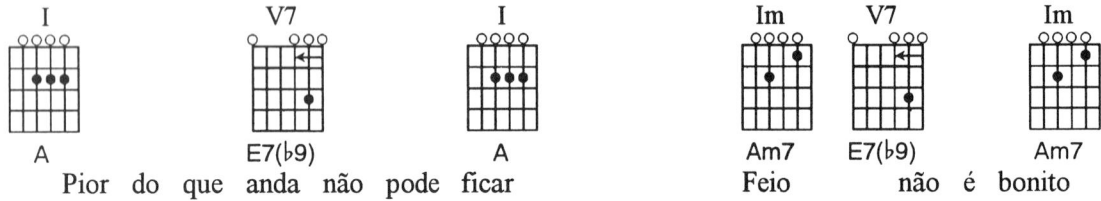

O Acorde de Dominante (V7) pode resolver em outro Acorde de Dominante (I7). E quando esse último resolve em outro Acorde de Dominante que, por sua vez, resolve num quarto - e assim por diante -, tem-se o que se denomina uma Marcha Harmônica. Exemplo: "Coisa mais linda" – Tom = A (p. 86).

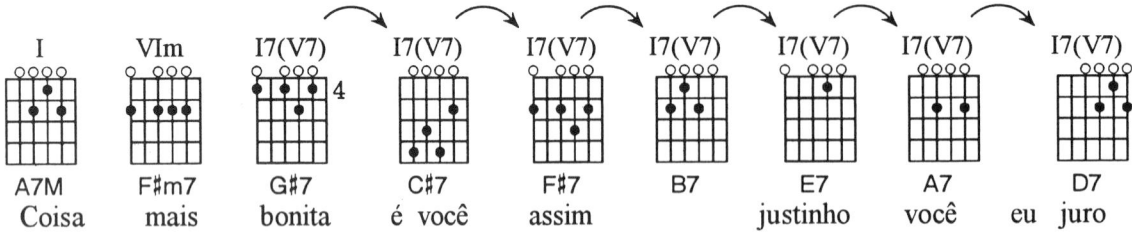

2- Resolução das Subdominantes

Este é o caso quando os acordes dos graus IV, IIm e IVm (Subdominantes) resolvem num acorde de Tônica (I ou Im). Exemplos: "Comedor de gilete" – Tom = A (p. 81); "Minha namorada" – Tom = C (p. 102) e "Marcha da quarta-feira de cinzas" – Tom = Gm (p. 96). Observe-se que no segundo exemplo, o acorde de Em7 (IIIm) substitui a Tônica C (I).

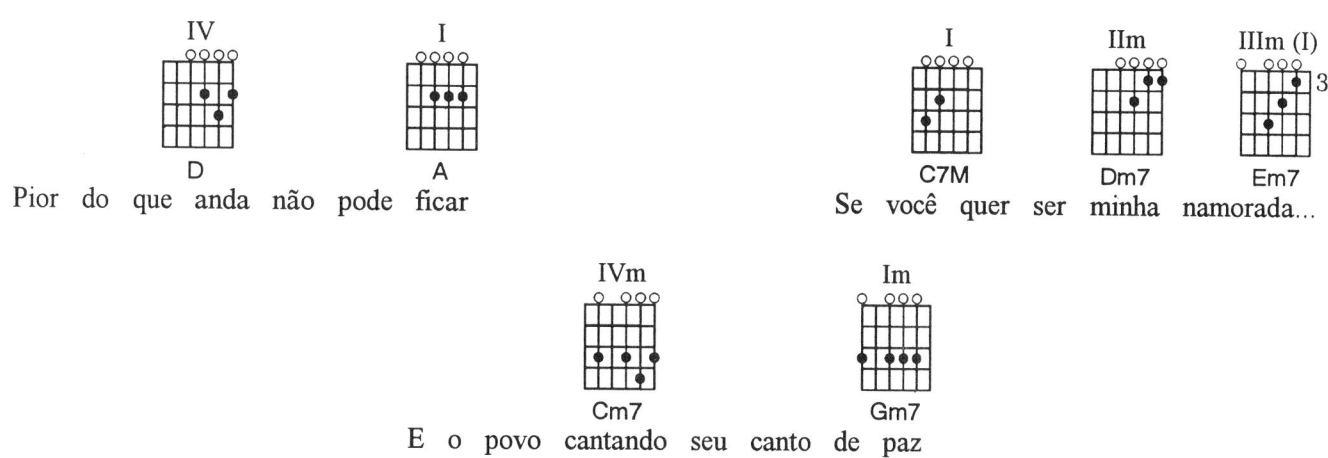

3- Resolução dos Acordes de Empréstimo Modal (E.M.)

Chamam-se Acordes de Empréstimo Modal (E.M.) aqueles que são emprestados de outras tonalidades (ou modos) e que, como se fossem Dominantes (V7), resolvem nas Tônicas (I ou Im). Os mais comuns são:

a) Acorde de E.M. do grau IVm (em Tom Maior). Exemplo: "Lobo bobo" – Tom = A (p. 94).

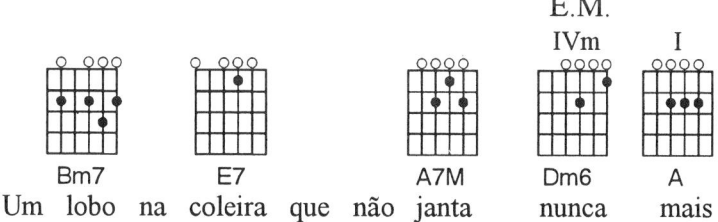

b) O Acorde de E.M. do grau ♭VI é também usado nos finais de música (em ambos os modos). Exemplos: "Saudade fez um samba" – Tom = D (p. 110) e "Feio não é bonito" – Tom = Am (p. 90).

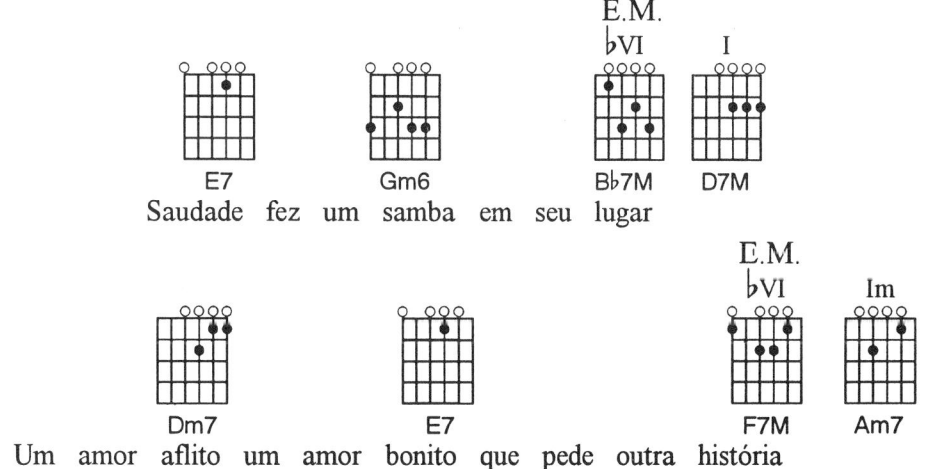

c) Acorde de E.M. do grau ♭VII (em Tom Maior). Exemplo: "Comedor de gilete" – Tom = A (p. 81).

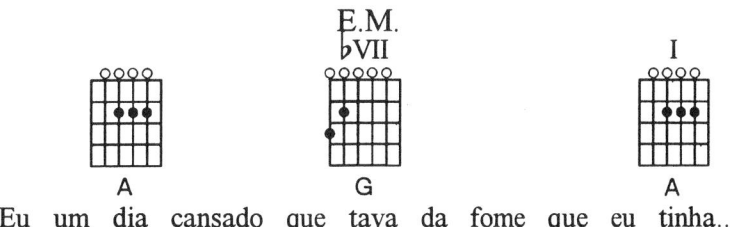

d) Acorde de E.M. do grau Vm (em ambos os modos). As resoluções Vm-I e Vm-Im, assim como a anterior ♭VII-I são frequentemente encontradas tanto na música medieval como na música nordestina brasileira, onde a música medieval tem grande influência. Exemplos: "Comedor de gilete" – Tom = A (p. 81) e "Samba do Carioca" – Tom = Dm (p. 109).

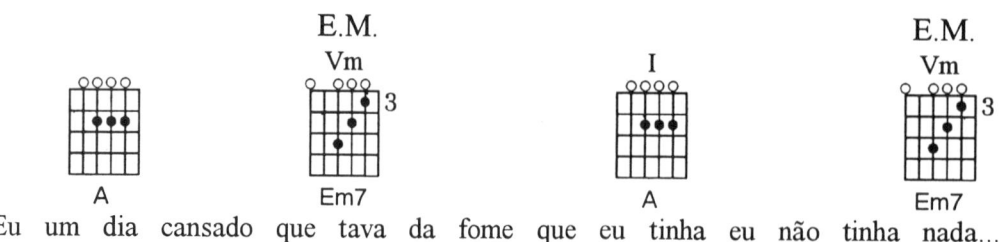

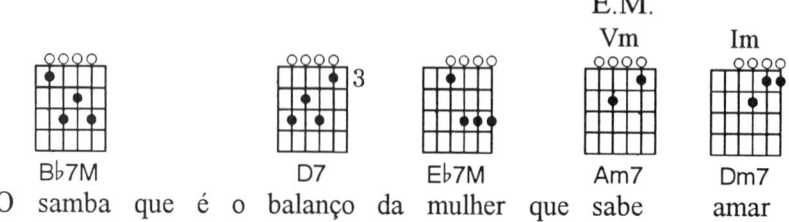

A resolução Vm-I é muito utilizada em finais de música tipo *fade out*. Exemplo: "Você e eu" – Tom = D (p. 112)

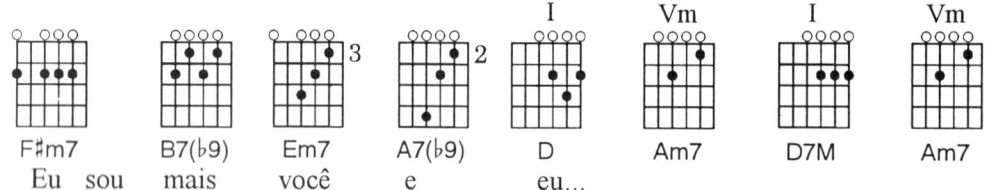

e) Acorde de E.M. do grau IV7 (em ambos modos). As resoluções IV7-I e IV7-Im são muito comuns no estilo *Blues*. Exemplos: "Se é tarde me perdoa" – Tom = F (p. 111) e "Samba do Carioca" – Tom = Dm (p. 109).

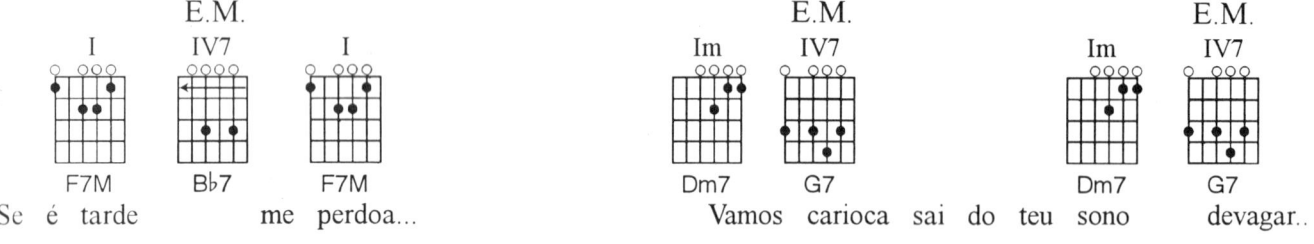

4- Resolução dos Acordes Substitutos do grau V7 (SubV7)

Chama-se Acorde SubV7 o acorde de 1/2 tom acima do acorde no qual resolve e que, como o nome indica, substitui o acorde do grau V7. O mais comum é o Acorde Maior com 7ª menor de 1/2 tom acima (♭II7) do acorde no qual resolve. Exemplos: "Sabe você?" – Tom = A (p. 104) e "Feio não é bonito" – Tom = Am (p. 90).

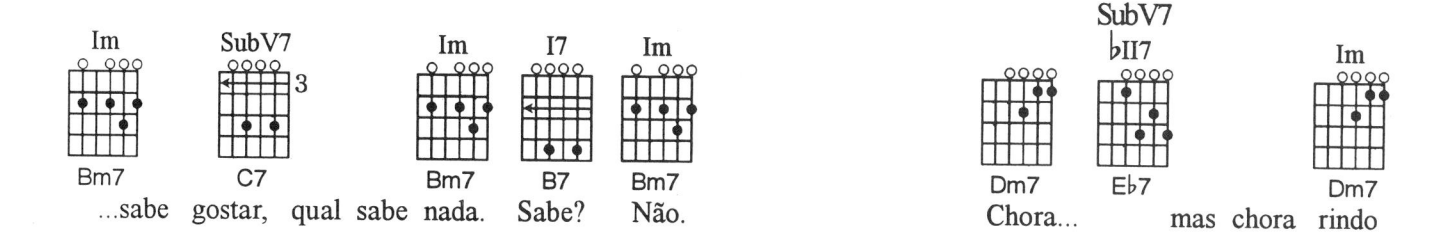

Im	SubV7	Im	I7	Im		SubV7 bII7	Im
Bm7	C7	Bm7	B7	Bm7		Dm7 Eb7	Dm7
...sabe	gostar,	qual sabe	nada. Sabe?	Não.		Chora... mas chora	rindo

5- Resoluções Deceptivas

Chamam-se Deceptivas as resoluções que concluem num acorde inesperado. A mais comum é a resolução do Acorde de Dominante de um Tom Maior no Acorde de Tônica do Relativo Menor. Exemplo: "Primavera" – Tom = E (p. 106).

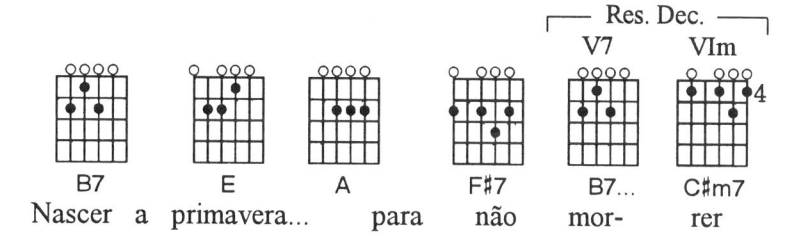

```
                              ┌── Res. Dec. ──┐
                                V7        VIm
    B7      E       A       F#7      B7...    C#m7
  Nascer  a  primavera...  para    não   mor-  rer
```

Outros tipos de Resolução Deceptiva são aqueles onde o Acorde de Dominante resolve em quaisquer outros acordes não previstos. Por expressarem um sentido suspensivo, essas resoluções aparecerão, nos gráficos, assinaladas por reticências, depois da Dominante e antes da Tônica. Exemplo: "Minha namorada" – Tom = C (p. 102).

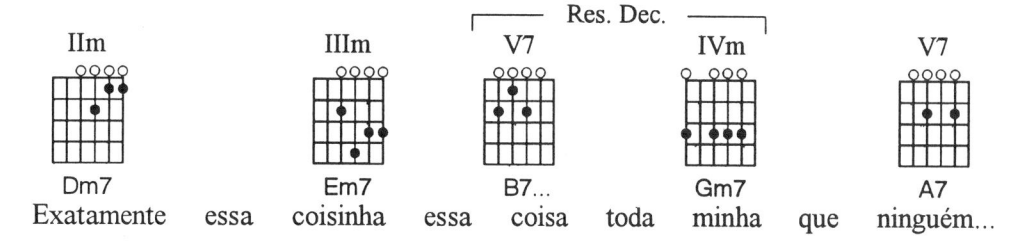

```
                       ┌── Res. Dec. ──┐
     IIm      IIIm      V7       IVm        V7
     Dm7      Em7       B7...    Gm7        A7
  Exatamente essa  coisinha essa coisa  toda minha  que ninguém...
```

Já se viu que o acorde do grau IIIm pode substituir, no meio da música, o acorde de Tônica Maior. Um tipo de resolução deceptiva seria aquela na qual o grau III7 também substituiria, no meio da música, o acorde de Tônica Maior. Exemplo: "Minha namorada" – Tom = C (p. 102).

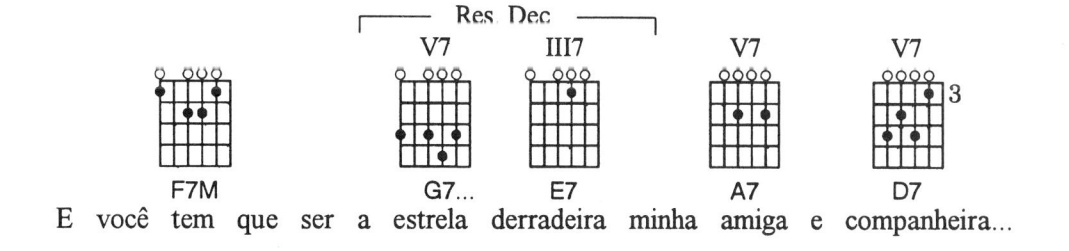

```
              ┌── Res. Dec. ──┐
                V7     III7       V7       V7
     F7M       G7...    E7        A7        D7
  E você tem que ser a estrela derradeira minha amiga e companheira...
```

Exercício: Fazer as Resoluções nos demais tons básicos.

> NOTA: No final deste método, o leitor encontrará, nas páginas 113 e 114, dois tipos de gráficos do violão para a realização dos exercícios. Os maiores destinam-se à reprodução de acordes, e os menores aos exemplos musicais. Para melhor aproveitamento, recomenda-se que sejam feitas cópias Xerox dessas páginas, ao invés da utilização imediata das mesmas.

RESOLUÇÕES AMPLIADAS

A resolução V7-I ou V7-Im pode ser ampliada utilizando-se, antes da Dominante (ou de qualquer acorde que a substitua), acordes menores ou maiores dos graus II e IV. Por antecederem uma Dominante, esses acordes denominam-se, em geral, Subdominantes Maiores ou Subdominantes Menores. Empregam-se assim:

1- Resoluções ampliadas com Subdominante Menor do grau IIm. (Em ambos os modos). Exemplos: "Influência do *jazz*" – Tom = D (p. 92) e "Sabe você?" – Tom = A (p. 104).

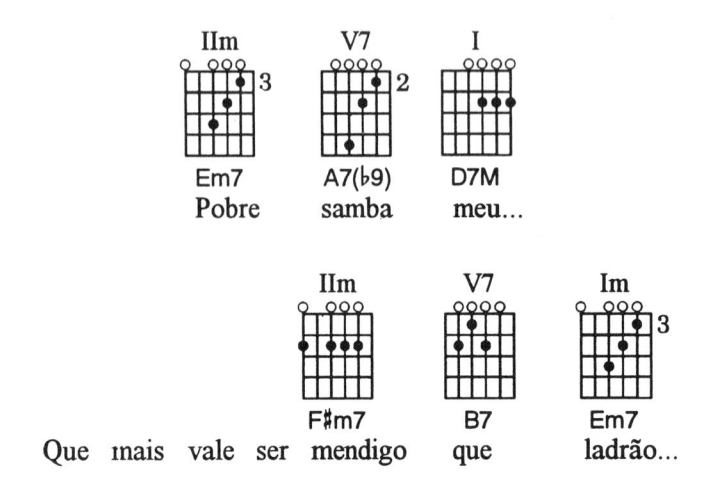

	IIm	V7	I
	Em7	A7(♭9)	D7M
	Pobre	samba	meu...

				IIm	V7	Im
				F♯m7	B7	Em7
Que	mais	vale	ser	mendigo	que	ladrão...

2- Resoluções ampliadas com Subdominante Menor do grau IVm. (Em ambos os modos). Exemplos: "Se é tarde me perdoa" – Tom = F (p. 111) e "Marcha da quarta-feira de cinzas" - Tom = Gm (p. 96).

IVm	V7	I
B♭m7	C7(♭9)	F7M
Eu vinha	só	cansado

IVm	V7	Im
Cm7	D7(♭9)	Gm7
E o povo cantando	seu canto	de paz

3- Resolução ampliada com Subdominante Maior do grau IV. (Em modo maior). Exemplo: "Comedor de gilete" – Tom = A (p. 81).

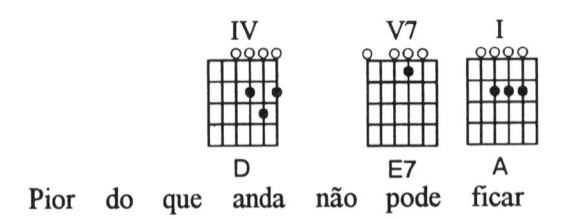

IV	V7	I
D	E7	A
Pior do que anda	não pode	ficar

Exercício: Fazer as Resoluções ampliadas nos demais tons básicos.

MODULAÇÃO

Modulação é a passagem harmônica de um tom para outro qualquer. Isso se faz empregando a Dominante (V7) seguida da Tônica (I ou Im) do tom para o qual se modula. Essa Dominante seguida da Tônica nada mais é do que uma resolução. Exemplo: "Canção que morre no ar" – Tom = F♯ (p. 84), "Minha namorada" – Tom = C (p. 102) e "Maria Ninguém" – Tom = G (p. 100).

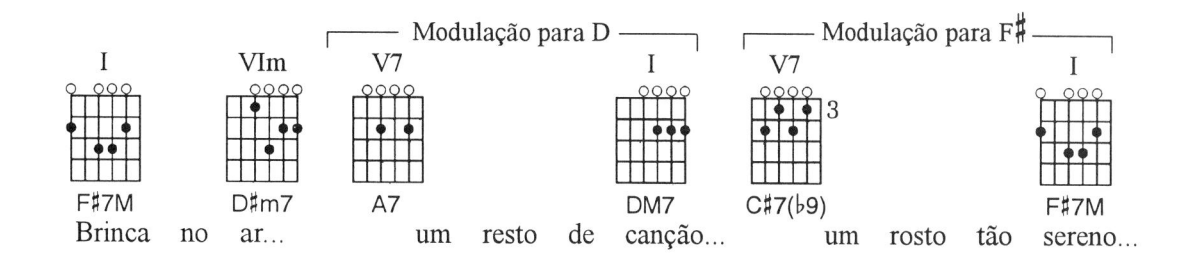

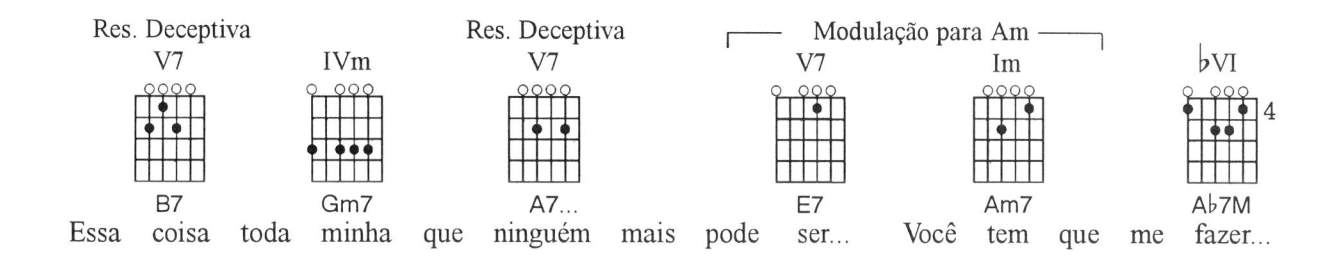

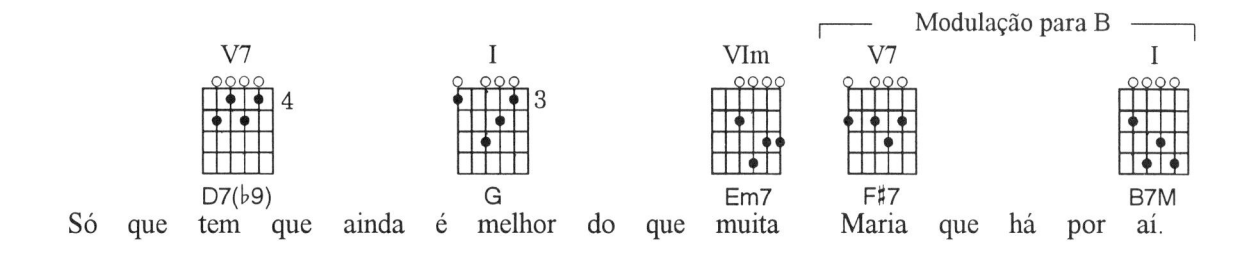

I	VIm	Modulação para D		Modulação para F♯	
		V7	I	V7	I
F♯7M	D♯m7	A7	DM7	C♯7(♭9)	F♯7M
Brinca	no ar...	um resto de	canção...	um rosto tão	sereno...

Res. Deceptiva		Res. Deceptiva	Modulação para Am		
V7	IVm	V7	V7	Im	♭VI
B7	Gm7	A7...	E7	Am7	A♭7M
Essa coisa toda minha	que ninguém mais pode ser...	Você tem que me fazer...

			Modulação para B		
V7	I	VIm	V7		I
D7(♭9)	G	Em7	F♯7		B7M
Só que tem que ainda é melhor do que muita	Maria que há por aí.

Assim como a Resolução, a Modulação também pode ser ampliada utilizando-se as Subdominantes. Exemplos: "Canção que morre no ar" – Tom = F♯ (p. 84), "Minha namorada" – Tom = C (p. 102) e "Maria Ninguém" – Tom = G (p. 100).

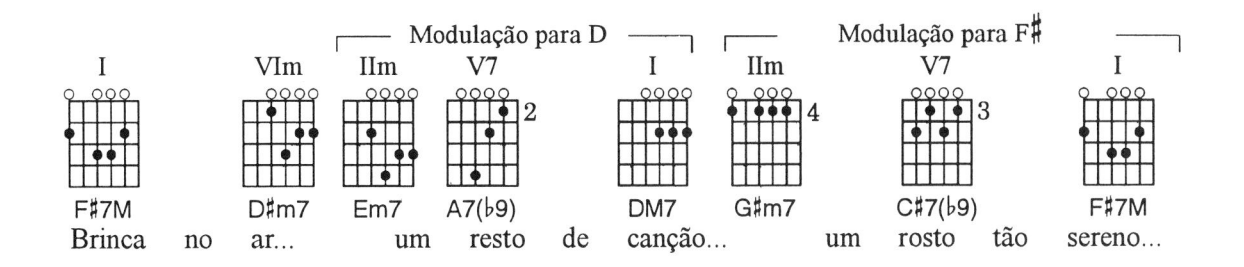

I	VIm	Modulação para D			Modulação para F♯		
		IIm	V7	I	IIm	V7	I
F♯7M	D♯m7	Em7	A7(♭9)	DM7	G♯m7	C♯7(♭9)	F♯7M
Brinca	no ar...	um resto	de	canção...	um	rosto tão	sereno...

| Res. Deceptiva | | Res. Deceptiva | ⌈ Modulação para Am ⌉ | E.M. |
| V7 | IVm | V7 | IIm | V7 | Im | bVI |

B7... Gm7 A7... Bm7 E7(b9) Am7 Ab7M

Essa coisa toda minha que ninguém mais pode ser... Você tem que me fazer...

| | | | ⌈ Modulação para B ⌉ |
| V7 | I | VIm | IIm | V7 | I |

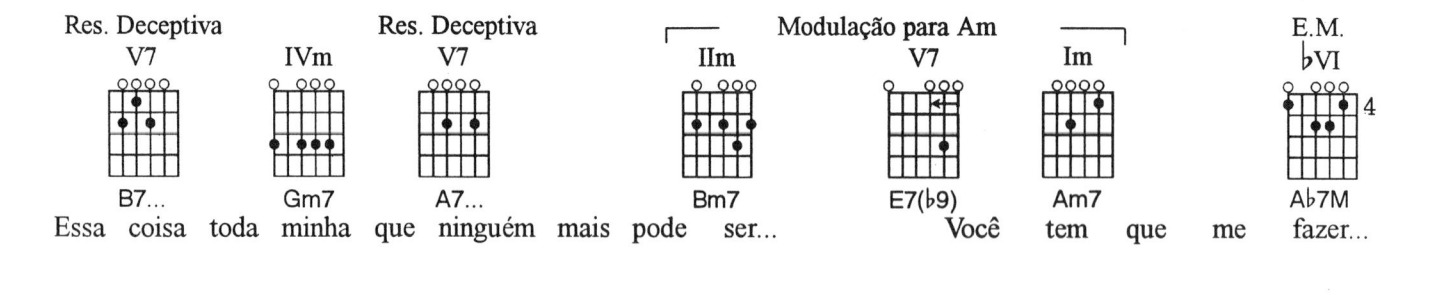

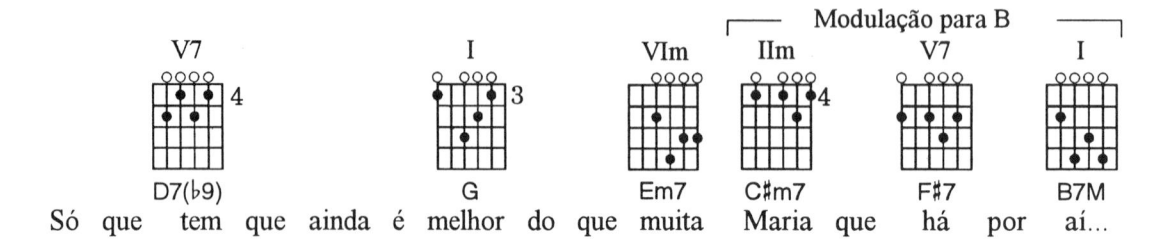

D7(b9) G Em7 C#m7 F#7 B7M

Só que tem que ainda é melhor do que muita Maria que há por aí...

E também com as Subdominantes do grau IV para Tom Maior e bVI para Tom Menor. Exemplos: "Saudade fez um samba" – Tom = D (p. 110) e "Entrudo" – Tom = Cm (p. 88).

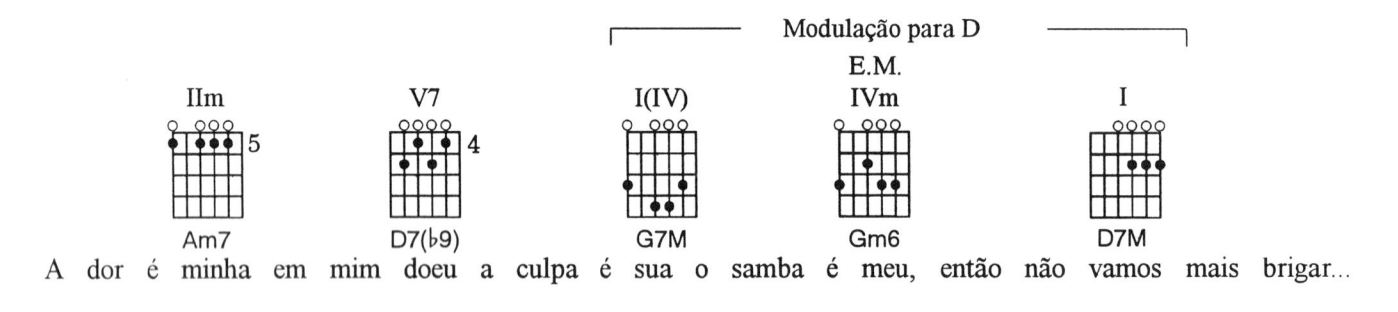

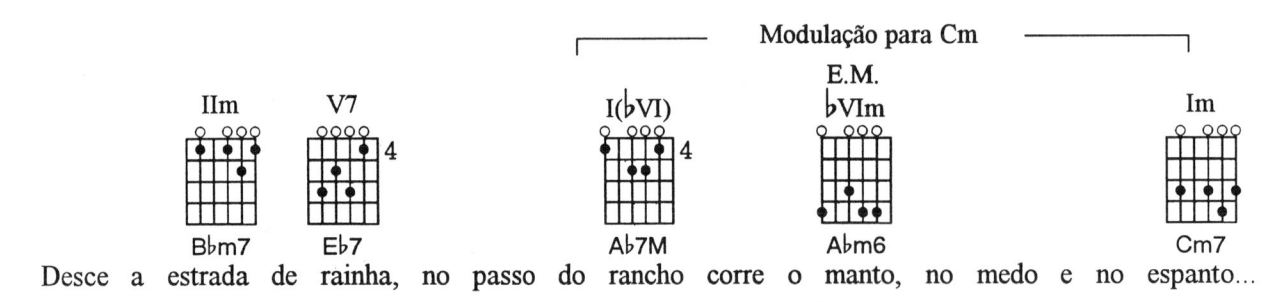

		⌈ Modulação para D ⌉
			E.M.
IIm	V7	I(IV)	IVm	I

Am7 D7(b9) G7M Gm6 D7M

A dor é minha em mim doeu a culpa é sua o samba é meu, então não vamos mais brigar...

		⌈ Modulação para Cm ⌉
			E.M.
IIm	V7	I(bVI)	bVIm	Im

Bbm7 Eb7 Ab7M Abm6 Cm7

Desce a estrada de rainha, no passo do rancho corre o manto, no medo e no espanto...

Harmonicamente a música é, quase sempre, uma sequência constante de Resoluções e Modulações, ampliadas ou não. E, como pode-se observar, as modulações podem ser marcantes, como em "Canção que morre no ar" e "Maria Ninguém" (v. exemplos), ou passageiras, também chamadas "passagens modulantes", como em "Minha namorada" (v. exemplo).

Exercício: Fazer as Modulações nos demais tons básicos.

INVERSÕES

Quando a nota principal de um acorde, ou Fundamental, está no baixo (nota mais grave), diz-se que o acorde está no Estado Fundamental.

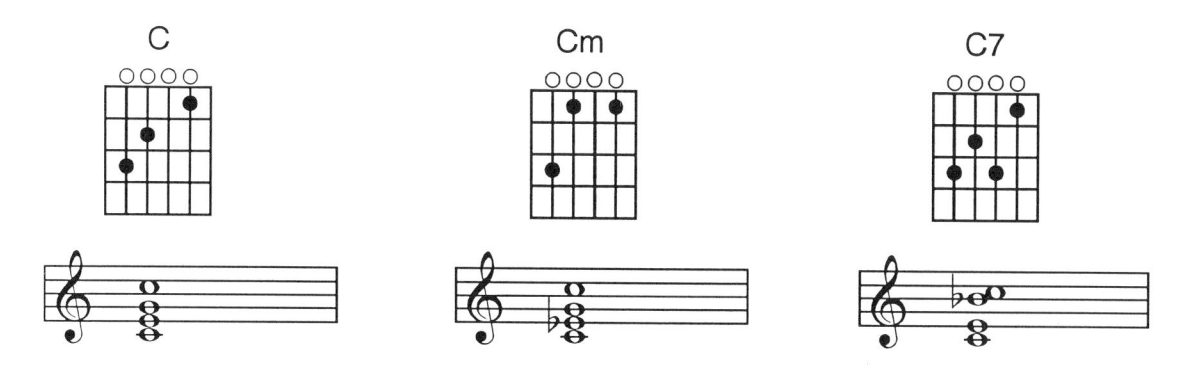

Se qualquer outra nota do acorde estiver no baixo, tem-se uma Inversão.

As inversões podem ser:

1ª Inversão - quando a Terça (grau III ou IIIm) está no baixo:

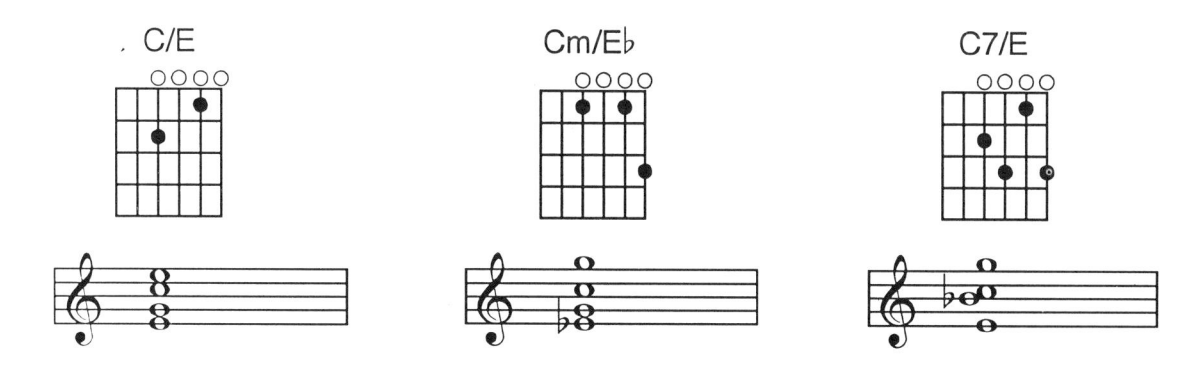

2ª Inversão - quando a Quinta (grau V) está no baixo:

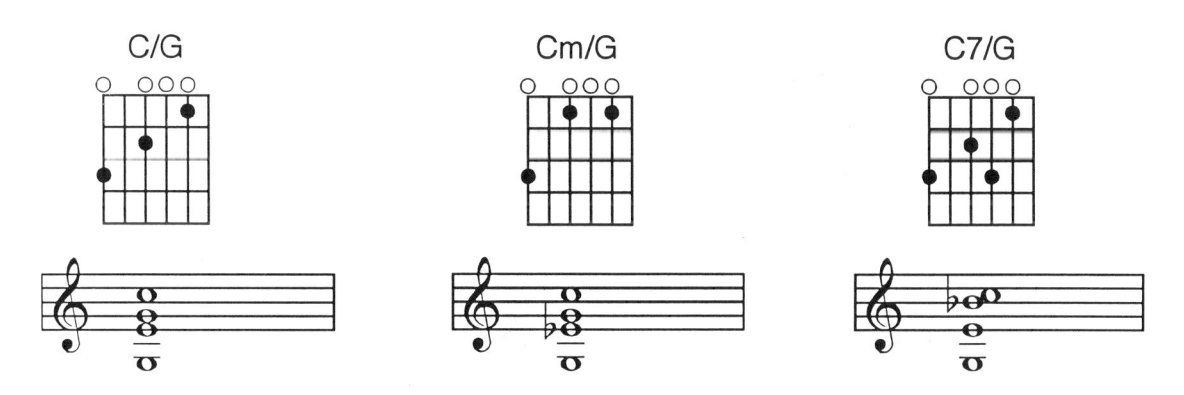

Os Acordes Perfeitos Maiores e Menores (Tônicas), sendo formados por três graus (I, III ou IIIm, e V), só podem estar no Estado Fundamental, 1ª Inversão e 2ª Inversão. Os Acordes Maiores com 7ª menor (Dominantes), sendo formados por quatro graus (I, III, V e VIIm), podem estar no Estado Fundamental e em três distintas inversões.

3ª Inversão - quando a Sétima menor (grau VIIm) está no baixo. Sendo formado por quatro graus, o Acorde Maior com 7ª menor pode estar, também, na 3ª inversão.

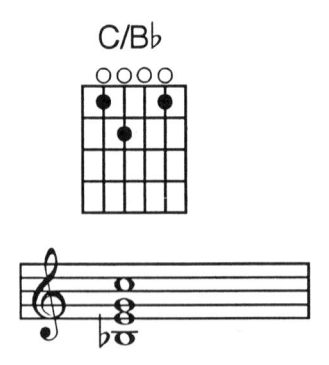

C/B♭

As cifras das inversões são escritas com uma barra ou travessão. O nome do acorde aparece no lado esquerdo da barra e o baixo (Terça, Quinta ou Sétima) no lado direito.

Exemplo: O acorde de C7, formado pelas notas C - E - G - B♭, escreve-se:

> no Estado Fundamental: C7
> na 1ª Inversão: C7/E
> na 2ª Inversão: C7/G
> na 3ª Inversão: C/B♭

NOTA: Na 3ª Inversão não se escreve a 7ª pois ela já está expressa no baixo.

Já se viu que é possível dispensar o grau V sem nenhum prejuízo para o acorde. Não estando no Estado Fundamental, o acorde pode, igualmente, sem nenhum prejuízo, dispensar o grau I ou Fundamental (v. exemplos abaixo).

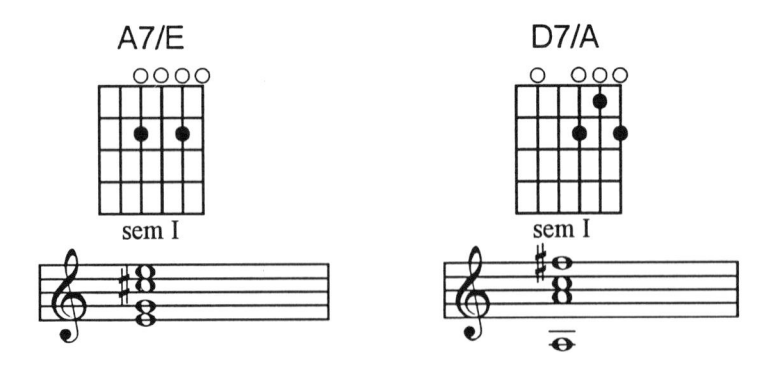

A7/E
sem I

D7/A
sem I

INVERSÕES NOS TONS BÁSICOS

Acordes Maiores

1- Acordes Maiores na 1ª inversão

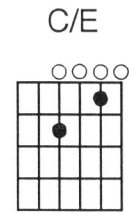

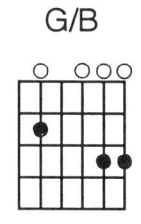

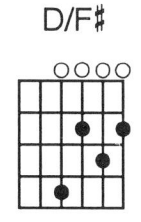

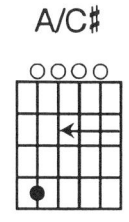

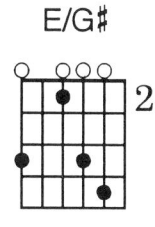

C/E G/B D/F# A/C# E/G#

2- Acordes Maiores na 2ª inversão

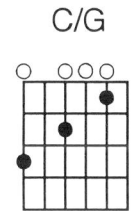

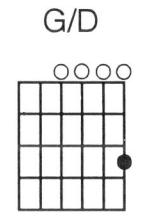

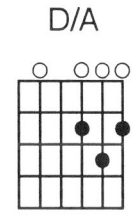

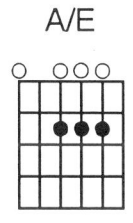

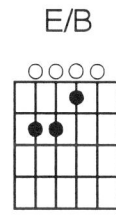

C/G G/D D/A A/E E/B

Acordes Menores

1- Acordes Menores na 1ª inversão

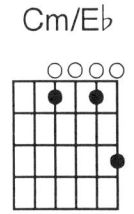

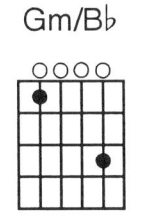

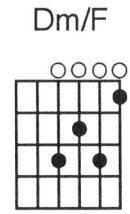

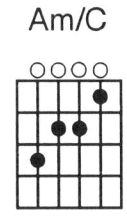

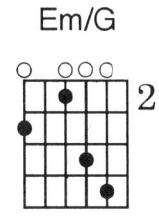

Cm/E♭ Gm/B♭ Dm/F Am/C Em/G

2- Acordes Menores na 2ª inversão

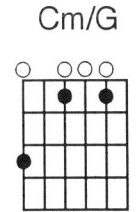

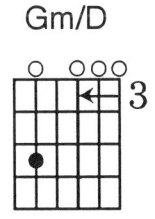

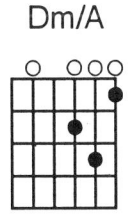

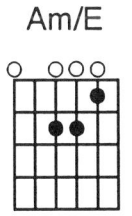

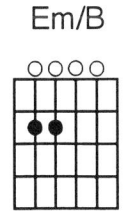

Cm/G Gm/D Dm/A Am/E Em/B

Acordes Maiores com 7ª menor

1- Maiores com 7ª menor na 1ª inversão

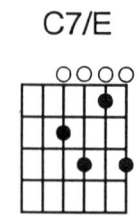

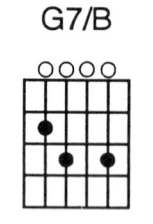

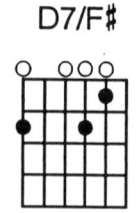

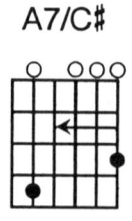

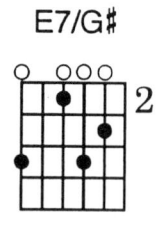

C7/E   G7/B   D7/F#   A7/C#   E7/G#

2- Maiores com 7ª menor na 2ª inversão

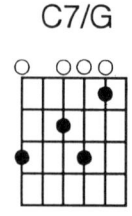

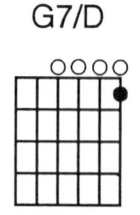

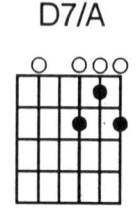

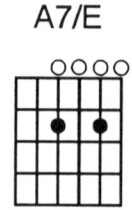

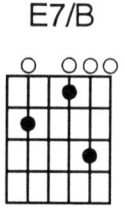

C7/G   G7/D   D7/A   A7/E   E7/B

3- Maiores com 7ª menor na 3ª inversão

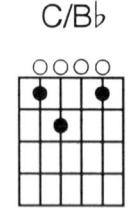

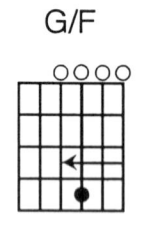

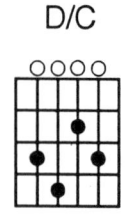

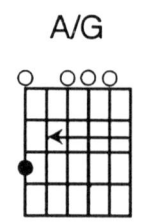

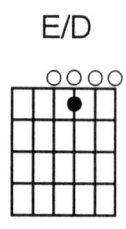

C/B♭   G/F   D/C   A/G   E/D

ENCADEAMENTO E RESOLUÇÃO DOS ACORDES INVERTIDOS

Os acordes invertidos são empregados em sequências onde os baixos, ou notas mais graves, se encadeiam, geralmente, por tom ou semitom. Em geral, na harmonia moderna, aplica-se esses acordes segundo o bom gosto de quem harmoniza, no entanto, existem algumas regras tradicionais para determinadas resoluções do tipo Dominante-Tônica (V7-I ou Im).

Já se viu que, nas resoluções Dominante-Tônica, a terça e a 7ª menor do acorde de Dominante (V7) exercem, respectivamente, atração sobre as notas fundamental e a terça do acorde de Tônica (I ou Im). Nas inversões, isso também é observado, assim:

1- Resolução do Acorde de Dominante (V7) na 1ª Inversão

O Acorde Maior com 7ª menor, ou Dominante, na 1ª Inversão, tende a resolver no acorde de Tônica no Estado Fundamental. Isto porque a Dominante na 1ª Inversão tem a terça no baixo, que exerce atração sobre a nota fundamental do acorde de Tônica, no Estado Fundamental. Exemplo: "Maria Ninguém" – Tom = G (p. 100).

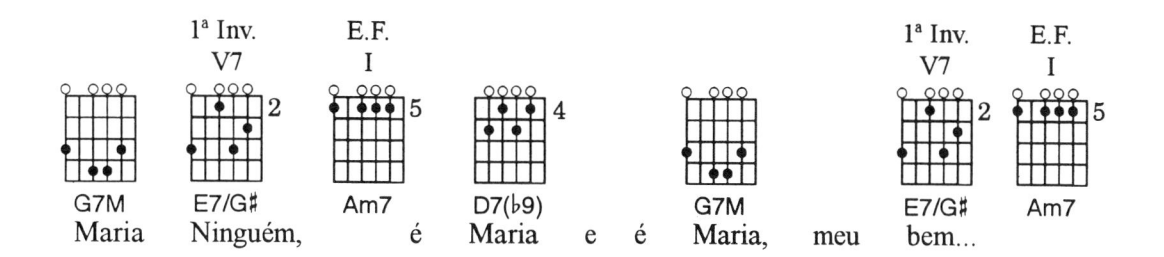

1ª Inv.	E.F.			1ª Inv.	E.F.
V7	I			V7	I
G7M	E7/G♯	Am7	D7(♭9)	G7M	E7/G♯	Am7
Maria	Ninguém,	é Maria	e é	Maria,	meu	bem...

2- Resolução do Acorde de Dominante (V7) na 3ª Inversão

O Acorde Maior com 7ª menor, ou Dominante, na 3ª Inversão, tende a resolver no Acorde de Tônica na 1ª Inversão. Isso porque a 7ª menor, que é o baixo da Dominante (na 3ª inversão), exerce atração sobre a terça, que é o baixo do acorde de Tônica (na 1ª Inversão). Exemplo: "Primavera" – Tom = E (p. 106).

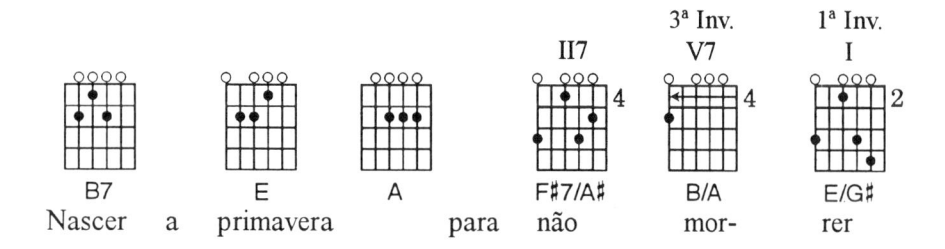

			II7	3ª Inv. V7	1ª Inv. I
B7	E	A	F♯7/A♯	B/A	E/G♯
Nascer	a primavera	para	não	mor-	rer

Os Acordes Invertidos se prestam para o efeito chamado Pedal, onde o mesmo baixo é mantido durante um encadeamento de acordes distintos. Exemplo: "Comedor de gilete" – Tom = A (p. 81).

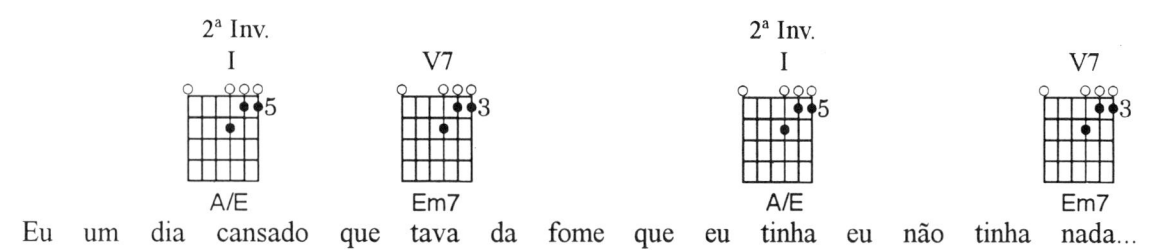

2ª Inv. I	V7	2ª Inv. I	V7
A/E	Em7	A/E	Em7
Eu um dia cansado	que tava da fome	que eu tinha	eu não tinha nada...

Os Acordes Invertidos são empregados, muitas vezes, como substitutos de acordes de graus distintos. Por exemplo, o acorde do grau IV, em tom maior, pode ser substituído, segundo a melodia, pelo acorde maior de uma 6ª acima, na 1ª Inversão. No exemplo que segue, o acorde de G (grau IV de D) é substituído pelo acorde de E/G♯ (6ª acima de G). Exemplo: "Influência do *jazz*" – Tom = D (p. 92).

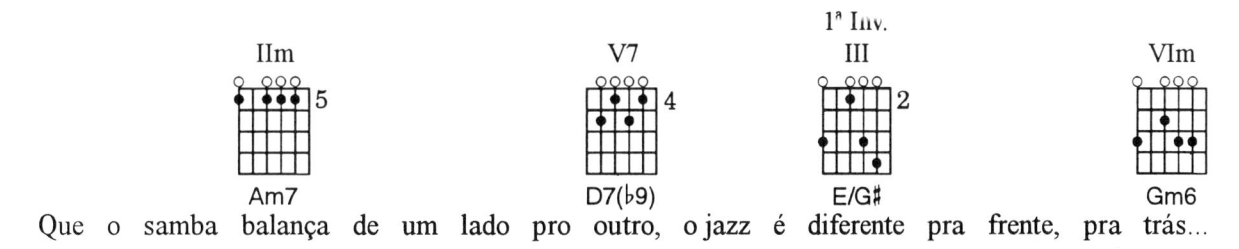

IIm	V7	1ª Inv. III	VIm
Am7	D7(♭9)	E/G♯	Gm6
Que o samba balança	de um lado pro outro,	o jazz é diferente	pra frente, pra trás...

O mesmo sucede em tom menor, quando o acorde maior do grau ♭VI pode ser substituído, também pelo acorde maior de uma 6ª acima, na 1ª Inversão. No exemplo que segue, o acorde de A♭ (grau ♭VI de Cm) é substituído por F/A (6ª acima de A♭). Exemplo: "Entrudo" – Tom = Cm (p. 88).

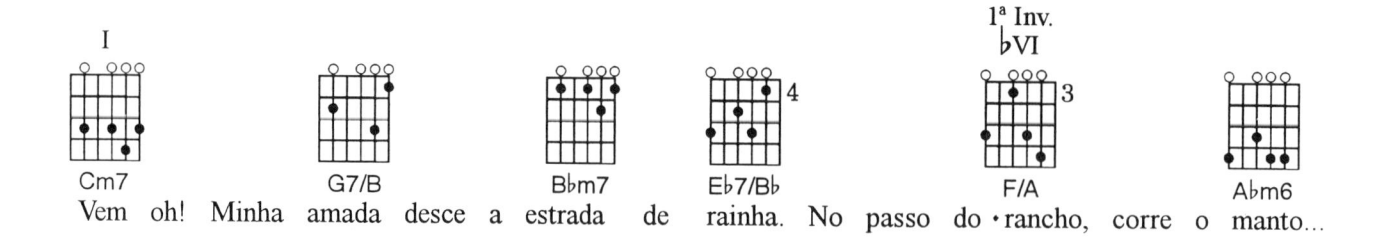

I				1ª Inv. bVI	
Cm7	G7/B	Bbm7	Eb7/Bb	F/A	Abm6
Vem oh! Minha	amada desce a	estrada de	rainha. No	passo do ·rancho, corre	o manto...

Na Extensão da Tônica Maior, os Acordes Invertidos são amplamente utilizados. Exemplo: "Canção que morre no ar" – Tom = F# (p. 84).

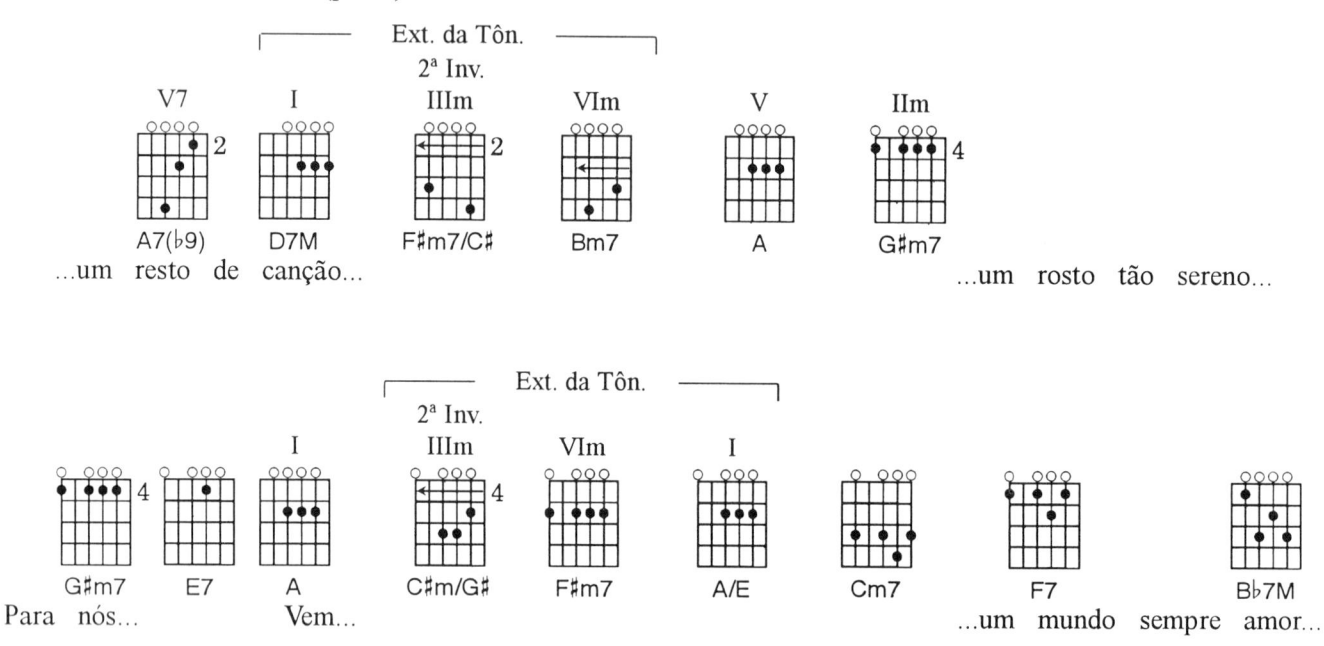

		Ext. da Tôn. 2ª Inv.			
V7	I	IIIm	VIm	V	IIm
A7(b9)	D7M	F#m7/C#	Bm7	A	G#m7
...um resto de	canção...			...um rosto tão	sereno...

		I	Ext. da Tôn. 2ª Inv. IIIm	VIm	I		
G#m7	E7	A	C#m/G#	F#m7	A/E	Cm7	F7	Bb7M
Para nós...		Vem...			...um mundo sempre	amor...

No mais, como já foi dito, os encadeamentos se fazem de acordo com o gosto de quem harmoniza, buscando-se sempre que os baixos procedam por tom ou semitom. Veja alguns outros exemplos: "Maria Moita" – Tom = Am (p. 98) e "Primavera" – Tom = E (p. 106).

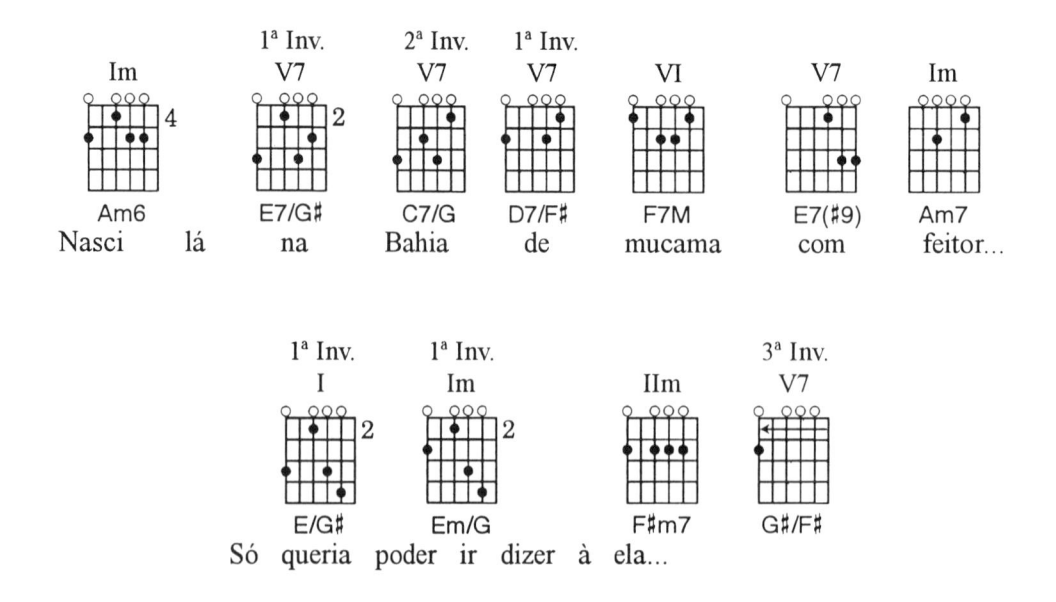

Im	1ª Inv. V7	2ª Inv. V7	1ª Inv. V7	VI	V7	Im
Am6	E7/G#	C7/G	D7/F#	F7M	E7(#9)	Am7
Nasci lá	na	Bahia	de	mucama	com	feitor...

1ª Inv. I	1ª Inv. Im	IIm	3ª Inv. V7
E/G#	Em/G	F#m7	G#/F#
Só queria poder ir dizer à ela...			

Exercício: Fazer os exemplos de Inversões nos demais tons básicos.

ANÁLISE HARMÔNICA

Quando se observa uma música, verifica-se, como já foi visto que, quase sempre, ela é uma sequência constante de encadeamentos harmônicos constituídos de Resoluções, ampliadas ou não, ou de Modulações, também ampliadas ou não. Assim:

V7 - I(Im)

IIm - V7 - I(Im)

IVm - V7 - I(I)

IV - V7 - I(Im)

Viu-se, também, que a Dominante (V7) pode ser substituída por acordes maiores, menores e maiores com 7ª menor, de graus distintos, tais como Empréstimo Modal (E.M.), Substituto do V7 (SubV7), etc. Os principais graus dos acordes que substituem a Dominante seriam os seguintes:

IIm - I

IV - I

IVm - I(Im) (E.M.)

♭VI - I(Im) (E.M.)

Vm - I(Im) (E.M.)

♭VII - I (E.M.)

♭II7 - I(Im) (SubV7)

E viu-se, ainda, que a ampliação das Resoluções ou Modulações se faz através das Subdominantes (IIm, IVm e IV).

O papel da Análise Harmônica é determinar o grau de cada acorde, escrevendo-se esse grau sobre o gráfico do mesmo. Como se constata nos exemplos de Resoluções e Modulações, a música é uma série de encadeamentos do tipo Dominante-Tônica ou Subdominante-Dominante-Tônica Exemplo: "Marcha da quarta-feira de cinzas" – Tom = Gm (p. 96).

Tôn.	Domin.	Tôn.		Subdom.	Domin.	Tôn.
Im	IVm	Im		IVm	V7	Im
Gm7	Cm7	Gm7		Cm7	D7(♭9)	Gm7
Acabou	nosso carnaval	ninguém ouve...		...e o povo cantando	seu canto	de paz.

47

As Tônicas (I, Im), Subdominantes (IIm, IV, IVm) e Dominantes(V7), independentemente de dissonâncias e inversões, serão sempre expressas pelos seus graus respectivos. As Dominantes, quando substituídas por Acordes de Empréstimo Modal ou Acordes Substitutos do grau V7, serão assinaladas por E.M. e SubV7, respectivamente. Exemplos:

1- "Lobo bobo" – Tom = A (p. 94). Neste exemplo, o acorde de Dm6, como Empréstimo Modal (E.M.), substitui a Dominante E7 (V7).

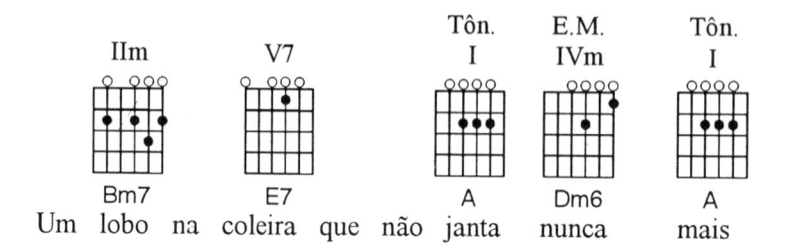

IIm	V7	Tôn. I	E.M. IVm	Tôn. I
Bm7	E7	A	Dm6	A
Um lobo	na coleira	que não janta	nunca	mais

2- "Feio, não é bonito" – Tom = Am (p. 90). Aqui, o acorde de E♭7, como Substituto do grau V7 (SubV7), faz o papel da Dominante A7 (V7).

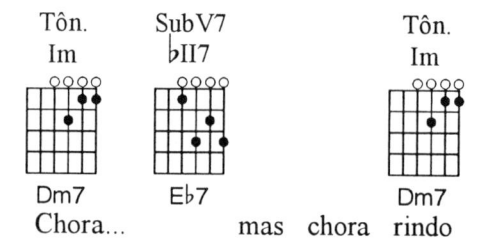

Tôn. Im	SubV7 ♭II7	Tôn. Im
Dm7	E♭7	Dm7
Chora...	mas chora	rindo

3- "Primavera" – Tom = E (p. 106). O acorde de B/A, sendo uma inversão de B7, aparece como Dominante de E, que também se acha invertido (E/G♯).

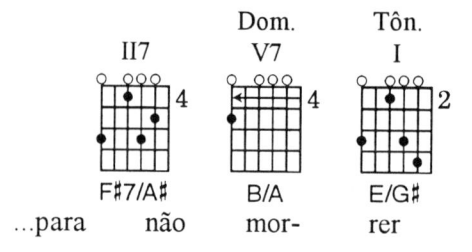

II7	Dom. V7	Tôn. I
F♯7/A♯	B/A	E/G♯
...para não	mor-	rer

As Resoluções Deceptivas são indicadas pela abreviatura Res.Dec., e o acorde estará seguido de reticências (...) indicando seu caráter suspensivo, ou seja, a Resolução não foi completada. Exemplo: "Sabe você?" – Tom = A (p. 104). Observe-se que o acorde de E7(♭9)... deveria resolver em A, mas resolve, deceptivamente, em D♯m7 enquanto que o acorde de G♯7, que deveria resolver em C♯m, resolve em A7M.

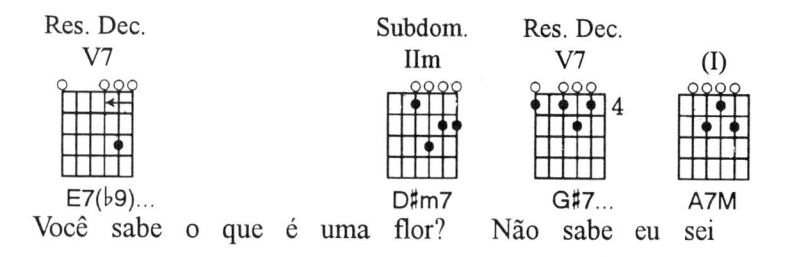

Res. Dec.		Subdom.	Res. Dec.	
V7		IIm	V7	(I)
E7(b9)...		D#m7	G#7...	A7M
Você sabe o	que é uma	flor?	Não sabe	eu sei

Na sequência de encadeamentos, pode-se observar que, muitas vezes, o grau I ou Im de uma Resolução, por exemplo, é ao mesmo tempo o grau IIm, IVm ou IV de um novo encadeamento que se segue. Na Análise Harmônica escreve-se, sobre o gráfico, o grau referente ao acorde na Resolução e, entre parênteses, o grau referente ao acorde no encadeamento que segue. Exemplos:

1- "Sabe você?" – Tom = A (p. 104). Observe-se, nesse exemplo, que o acorde de F#m7, sendo grau VIm de A é, ao mesmo tempo, o grau IIm do encadeamento seguinte F#m7-B7(b9)-Em7, que é uma Modulação para Em. Logo em seguida, o mesmo acorde de Em (grau I do tom) funciona como IVm no encadeamento Em7-F#7-Bm7. Note-se que as modulações deste exemplo são todas do tipo "passageiras" ou "passagens modulantes".

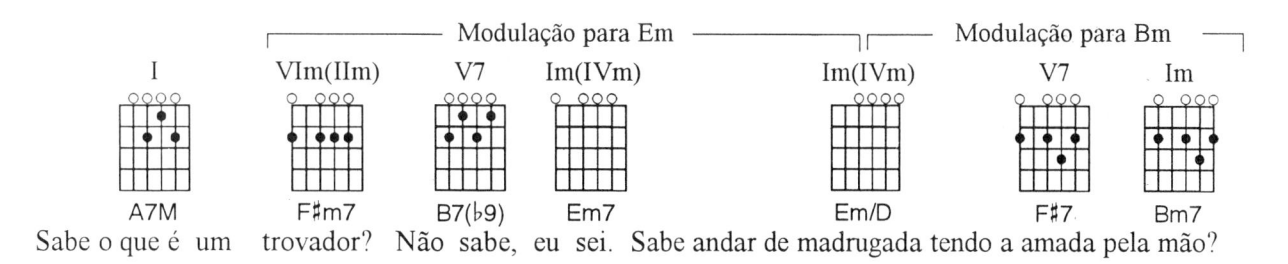

	⎯⎯ Modulação para Em ⎯⎯			⎯⎯ Modulação para Bm ⎯⎯		
I	VIm(IIm)	V7	Im(IVm)	Im(IVm)	V7	Im
A7M	F#m7	B7(b9)	Em7	Em/D	F#7	Bm7
Sabe o que é um	trovador?	Não sabe,	eu sei.	Sabe andar de madrugada	tendo a amada	pela mão?

2- "Influência do *jazz*" – Tom = D (p. 92). Neste exemplo o acorde de G7M é, a um tempo, o grau I do encadeamento da Resolução Am7-D7(b9)-G7M e o grau IV da Modulação para D. Observe-se que o acorde Gm6 (E.M.) faz o papel de A7 (Dominante de D).

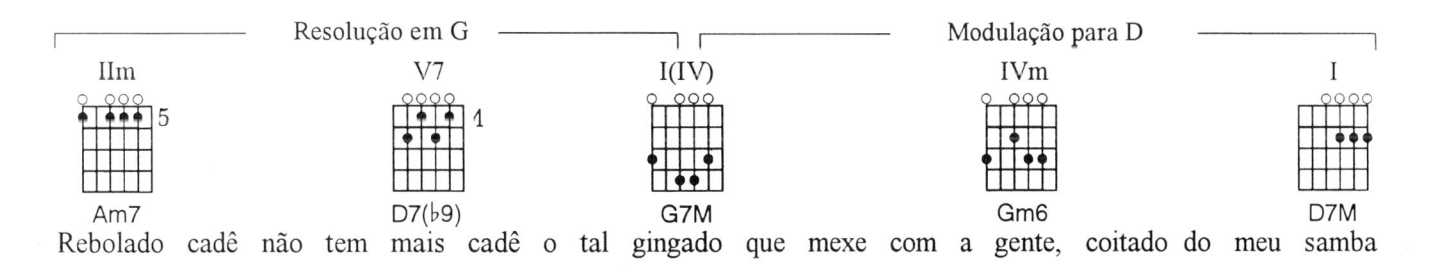

⎯⎯ Resolução em G ⎯⎯			⎯⎯ Modulação para D ⎯⎯	
IIm	V7	I(IV)	IVm	I
Am7	D7(b9)	G7M	Gm6	D7M
Rebolado cadê não tem	mais cadê o tal	gingado que mexe com	a gente, coitado do	meu samba

3- "Feio não é bonito" – Tom = Am (p. 90). O acorde de Dm é a Tônica menor (grau Im) da Resolução E♭7-Dm e também o grau IVm da Modulação para Am (Dm-E7-Am).

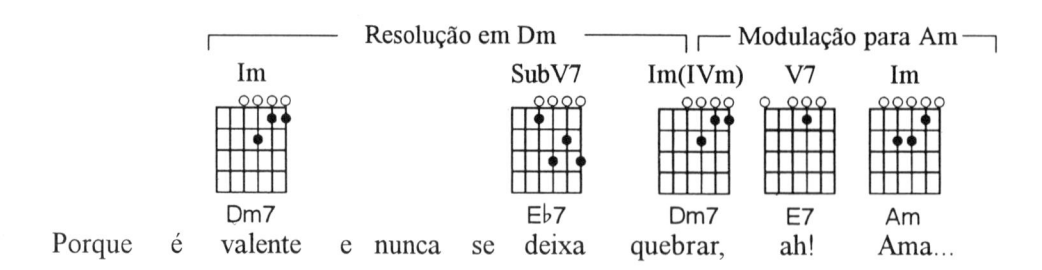

```
            ┌──────── Resolução em Dm ────────┐ ┌── Modulação para Am ──┐
            Im                      SubV7       Im(IVm)    V7        Im
            Dm7                     E♭7         Dm7        E7        Am
   Porque é valente e nunca se      deixa       quebrar,   ah!       Ama...
```

Exercício: Transpor os exemplos anteriores e também os exemplos de Resoluções e Modulações para os demais tons básicos, desenhando os acordes em gráficos de violão (v. gráficos p. 113 e 114). Em seguida, fazer a Análise Harmônica, escrevendo sobre os gráficos os graus referentes aos distintos acordes, conferindo com os exemplos originais.

PARTE 3

Harmonia Prática

ACORDES DISSONANTES

Entende-se por Acorde Dissonante todo aquele que não seja Acorde Perfeito Maior ou Menor. Assim, o Acorde Maior com 7ª menor ou de Dominante (V7) é um acorde dissonante por conter a 7ª menor que é uma dissonância.

Os acordes dissonantes podem ser divididos em três grupos:

1- Acordes que substituem a Tônica (I ou Im)
2- Acordes que substituem a Dominante (V7)
3- Acordes que substituem as Subdominantes (IIm, IV e IVm).

Os acordes dissonantes são inúmeros, por isso a lista que segue compreende apenas os mais importantes, numa sub-divisão de quatro grupos principais:

a) Acordes dissonantes que substituem o Acorde Perfeito Menor enquanto Tônica (grau Im) e Subdominante menor (graus IIm e IVm). São eles:

    1- Menor com 7ª (menor) = m7   (p. 55)
    2- Menor com 6ª (maior) = m6   (p. 56)
    3- Menor com 7ª (menor) e 6ª (maior) = m$\frac{7}{6}$ (p. 56)
    4- Menor com 7ª (menor) e 9ª (maior) = m7(9)   (p. 57)
    5- Menor com 6ª (maior) e 9ª (maior) = m$\frac{6}{9}$ (p. 57)
    6- Menor com 9ª adicional = m(9add)   (p. 57)
    7- Menor com 6ª menor = m♭6   (p. 58)
    8- Menor com 7ª maior = m7M   (p. 58)

b) Acordes dissonantes que substituem as Subdominantes menores (IIm e IVm).

    1- Todos os acordes anteriores que substituem o Acorde Perfeito Menor
    2- Menor com 7ª (menor) e 5ª diminuta = m7(♭5)   (p. 59)
    3- Menor com 7ª (menor) e 11ª (maior) = m7(11)   (p. 59)

c) Acordes dissonantes que substituem o Acorde Perfeito Maior enquanto Tônica (grau I) e Subdominante maior (grau IV). São eles:

    1- Maior com 7ª maior = 7M   (p. 60)
    2- Maior com 6ª (maior) = 6   (p. 60)
    3- Maior com 7ª maior e 9ª (maior) = 7M(9)   (p. 61)
    4- Maior com 6ª (maior) e 9ª (maior) = $\frac{6}{9}$ (p. 62)
    5- Maior com 7ª maior e 5ª aumentada = 7M(♯5)   (p. 62)
    6- Maior com 7ª maior e 11ª aumentada = 7M(♯11)   (p. 63)

d) Acordes dissonantes que substituem o Acorde Maior com 7ª menor ou Dominante (V7). São eles:

1- 7ª diminuta = 7°	(p. 64)
2- 7ª diminuta e 13ª menor 7° (♭13)	(p. 65)
3- Maior com 7ª (menor) e 9ª menor = 7(♭9)	(p. 66)
4- Maior com 7ª (menor) e 9ª (maior) = 7(9)	(p. 66)
5- Maior com 7ª (menor) e 9ª aumentada = 7(♯9)	(p. 67)
6- Maior com 7ª (menor) e 4ª justa = $\frac{7}{4}$	(p. 68)
7- Maior com 7ª (menor), 4ª (justa) e 9ª(maior) = $\frac{7}{4}$(9)	(p. 68)
8- Maior com 7ª (menor), 4ª (justa) e 9ª menor = $\frac{7}{4}$(♭9)	(p. 69)
9- Maior com 7ª (menor) e 5ª diminuta = 7(♭5)	(p. 69)
10- Maior com 5ª aumentada = ♯5	(p. 70)
11- Maior com 7ª (menor) e 5ª aumentada ou 13ª menor = 7(♯5) ou 7(♭13)	(p. 71)
12- Maior com 7ª (menor) e 13ª (maior) = 7(13)	(p. 72)

Os Acordes dissonantes, como os Perfeitos Maiores e Menores podem, no Estado Fundamental, dispensar o grau V (com exceção da ♯5 e ♭5), sem prejuízo para o acorde (Ex: Acordes 1 e 2). Nas inversões, pode-se dispensar o grau I (Ex: Acordes 3 e 4).

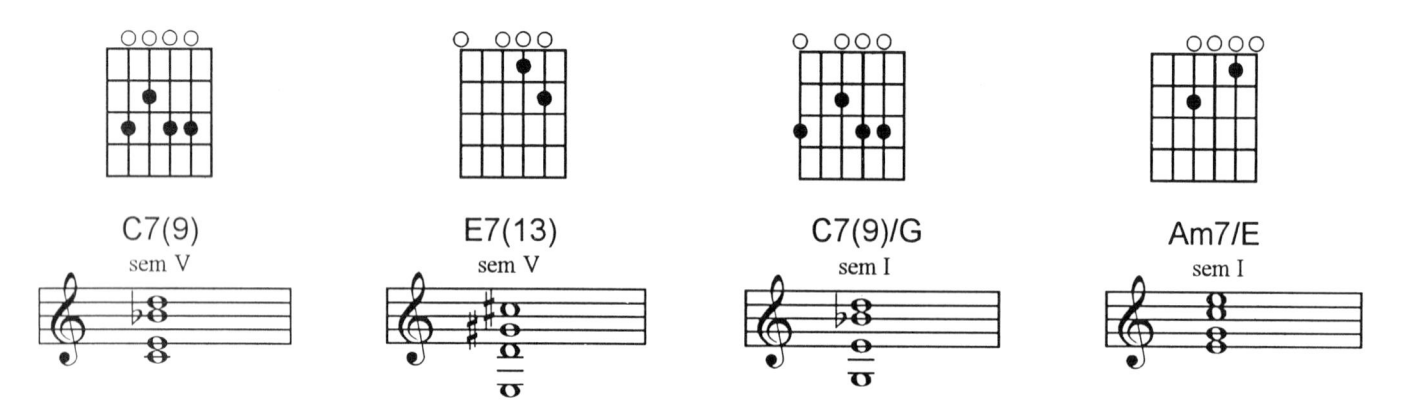

A escolha do acorde dissonante que substitua um Acorde Perfeito Maior, um Acorde Perfeito Menor ou um Acorde Maior com 7ª menor, dependerá da melodia que o exija, do encadeamento de baixos (notas mais graves dos acordes) e, sobretudo, do bom gosto de quem harmoniza. Cada um desses acordes será examinado com seus possíveis empregos e através de exemplos musicais.

Como nos exemplos de Resoluções, Modulações e Acordes Invertidos, as harmonizações utilizadas não serão, necessariamente, as que constam das partituras da Parte IV. Na verdade, serão apresentadas diversas sugestões para uma mesma música, observando-se, apenas, a necessidade de emprego do acorde a ser estudado.

Aqui também será antecipado o emprego de Acordes Menores com 6ª maior e 7ª menor, dos Acordes Maiores com 7ª maior e dos Acordes Maiores com 7ª menor e 9ª menor, para atender às necessidades das melodias e maior embelezamento dos exemplos. Recomenda-se, mais uma vez, que antes dos exemplos serem executados, faça-se soar os Acordes Principais do tom da música, para que este seja devidamente situado.

NOTA: Os acordes estudados serão marcados, nos exemplos, pelo sinal (+)

a) ACORDES SUBSTITUTOS DE TÔNICAS MENORES (Im) E SUBDOMINANTES MENORES (IIm e IVm)

1- Acordes Menores com 7ª (menor)

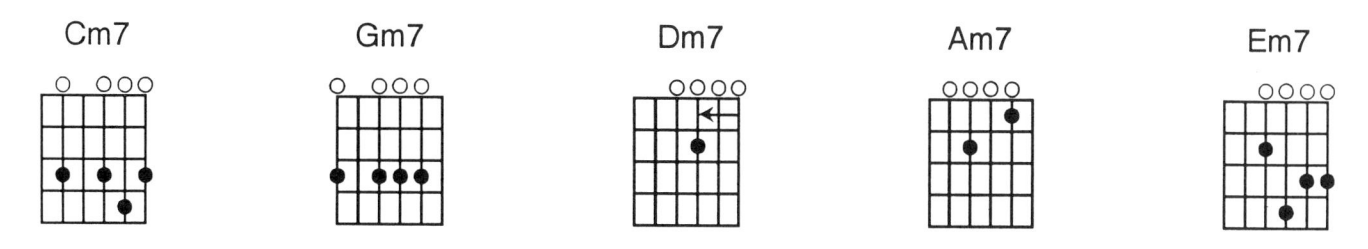

Cm7   Gm7   Dm7   Am7   Em7

O Acorde Menor com 7ª é formado pelos graus I, IIIm, V e VIIm. Substitui o Acorde Menor (Im, IIm e IVm). Exemplo: "Marcha da quarta-feira de cinzas" – Tom = Gm (p. 96)

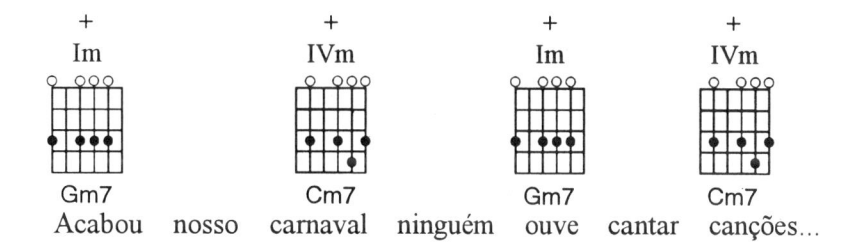

+	+	+	+
Im	IVm	Im	IVm
Gm7	Cm7	Gm7	Cm7
Acabou nosso	carnaval ninguém	ouve cantar	canções...

O Acorde Menor com 7ª se emprega também como substituto do acorde de Tônica maior, no meio da música. Exemplo: "Minha namorada" – Tom = C (p. 102). Observação: O acorde de Em7 é, ao mesmo tempo, o grau IIIm do tom de C e o grau IIm do tom de Dm.

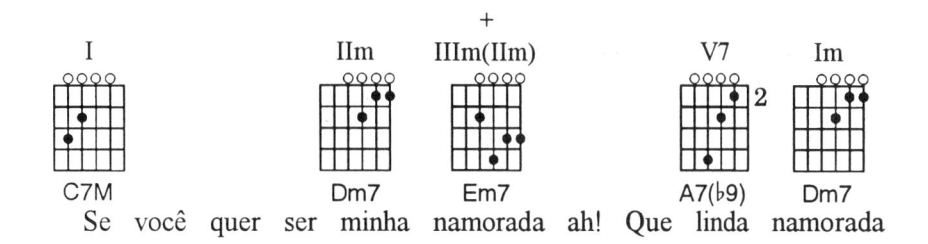

I	IIm	IIIm(IIm) +	V7	Im
C7M	Dm7	Em7	A7(b9)	Dm7
Se você quer ser	minha namorada	ah!	Que linda	namorada

O Acorde Menor com 7ª é comumente usado nas inversões, sendo a 3ª inversão (7ª menor no baixo) muito usada em encadeamentos dissonantes. Exemplo: "Sabe você?" – Tom = A (p. 104).

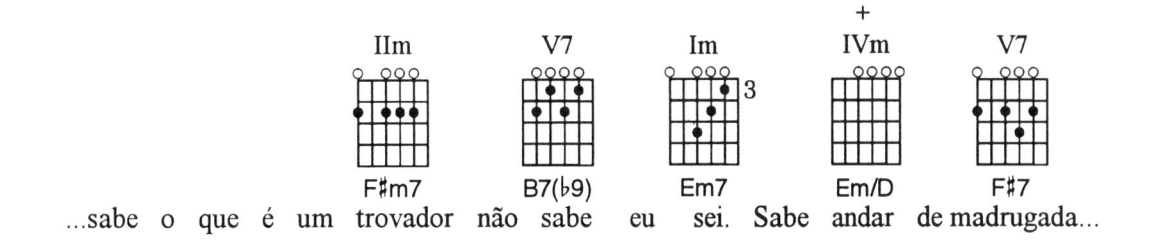

IIm	V7	Im	IVm +	V7
F#m7	B7(b9)	Em7	Em/D	F#7
...sabe o que é um	trovador não sabe	eu sei.	Sabe andar	de madrugada...

Exercício: Desenhar em gráficos de violão (v. p. 113) os Acordes Menores com 7ª na 3ª inversão.

2- Acordes Menores com 6ª (maior)

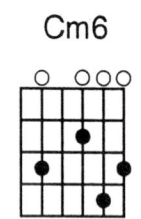

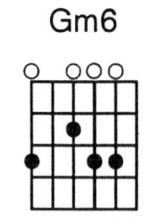

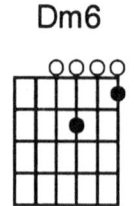

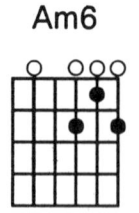

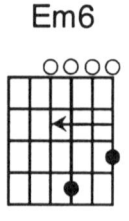

Cm6 Gm6 Dm6 Am6 Em6

O Acorde Menor com 6ª é formado pelos graus I, IIIm, V e VI. Como o Acorde Menor com 7ª, substitui os Acordes Menores, sobretudo dentro do tom menor. A escolha do Acorde Menor com 6ª ou 7ª depende da melodia ou do gosto de quem harmoniza. Exemplo: "Marcha da quarta-feira de cinzas" – Tom = Gm (p. 96).

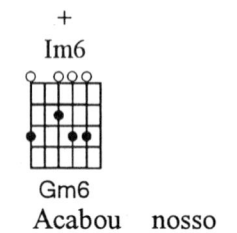

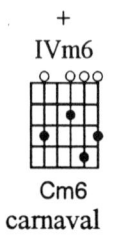

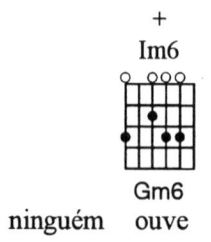

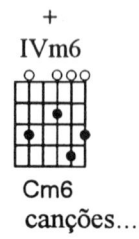

+	+	+	+
Im6	IVm6	Im6	IVm6
Gm6	Cm6	Gm6	Cm6
Acabou nosso	carnaval ninguém	ouve cantar	canções...

No violão, são comuns algumas inversões de Acordes Dissonantes. Em alguns tons, o Acorde Menor com 6ª na 1ª inversão é uma delas. Exemplo: "Sabe você?" – Tom = A (p. 104).

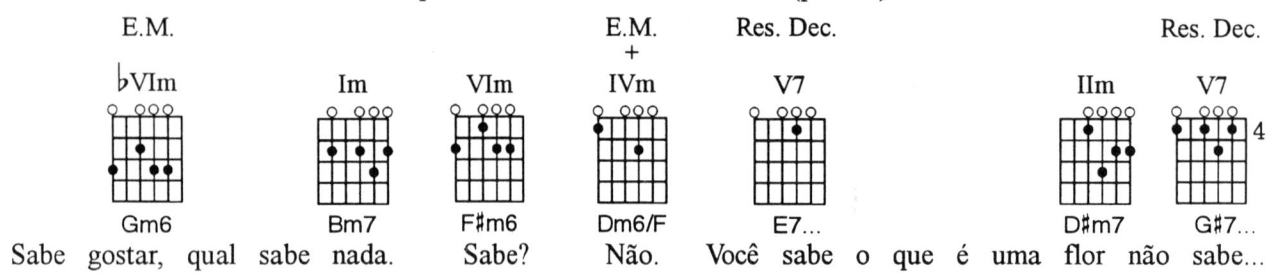

E.M.			E.M.+	Res. Dec.	Res. Dec.	
♭VIm	Im	VIm	IVm	V7	IIm	V7
Gm6	Bm7	F#m6	Dm6/F	E7...	D#m7	G#7...
Sabe gostar,	qual sabe nada.	Sabe?	Não.	Você sabe o que é uma	flor não	sabe...

Exercício: Desenhar em gráficos de violão os Acordes Menores com 6ª, na 1ª inversão, nos demais tons básicos. (v. gráficos p. 113).

3- Acordes Menores com 7ª (menor) e 6ª (maior)

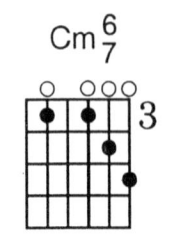

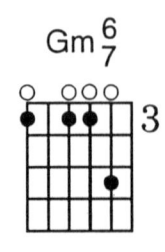

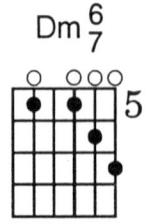

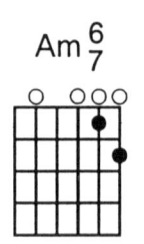

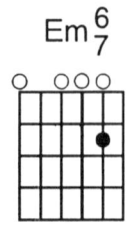

Cm$\frac{6}{7}$ Gm$\frac{6}{7}$ Dm$\frac{6}{7}$ Am$\frac{6}{7}$ Em$\frac{6}{7}$

O Acorde Menor com 6ª e 7ª é formado pelos graus I, IIIm, V, VI e VIIm. Substitui o Acorde Menor, dependendo da melodia. Exemplo: "Marcha da quarta-feira de cinzas" – Tom = Gm (p. 96).

Im	+ IVm	Im	+ IVm
Gm7	Cm$_7^6$	Gm7	Cm$_7^6$
Acabou nosso	carnaval	ninguém ouve cantar	canções...

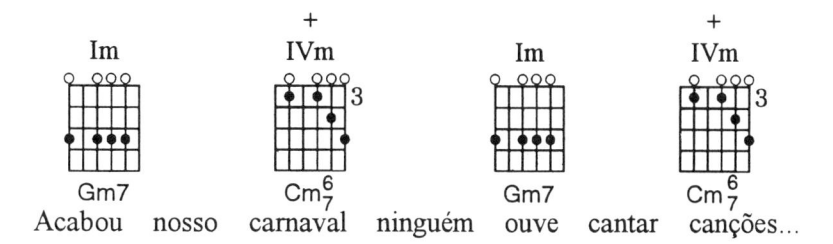

4- Acordes Menores com 7ª (menor) e 9ª (maior)

Cm7(9)   Gm7(9)   Dm7(9)   Am7(9)   Em7(9)

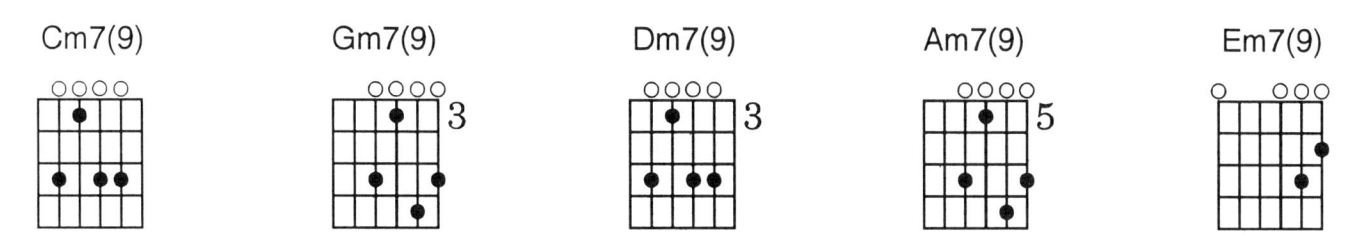

O Acorde Menor com 7ª e 9ª é formado pelos graus I, IIIm, V, VIIm e IX. Substitui o Acorde Menor, segundo a melodia. Exemplo: "Entrudo" – Tom = Cm (p. 88).

IV7	E.M. ♭VIm	+ Im	IV7	+ Im	IV7
F7/A	A♭m6	Cm7(9)	F7	Cm7(9)	F7
Meu passo	a compasso na	avenida teu	riso que dança	trança	triste e sofrido...

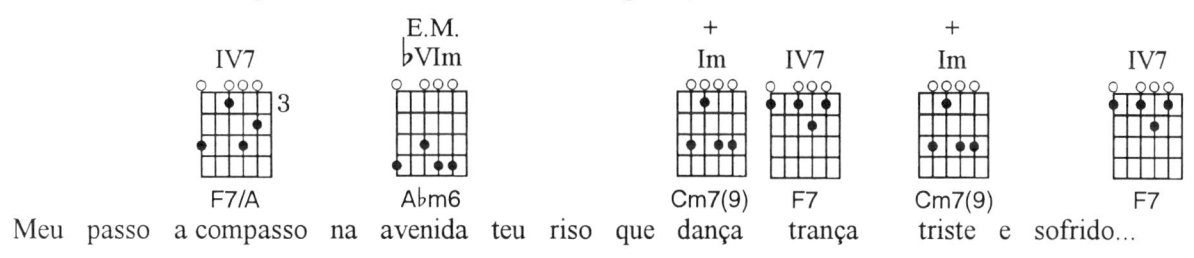

5- Acordes Menores com 6ª (maior) e 9ª (maior)

Cm$_9^6$ Gm$_9^6$ Dm$_9^6$ Am$_9^6$ Em$_9^6$

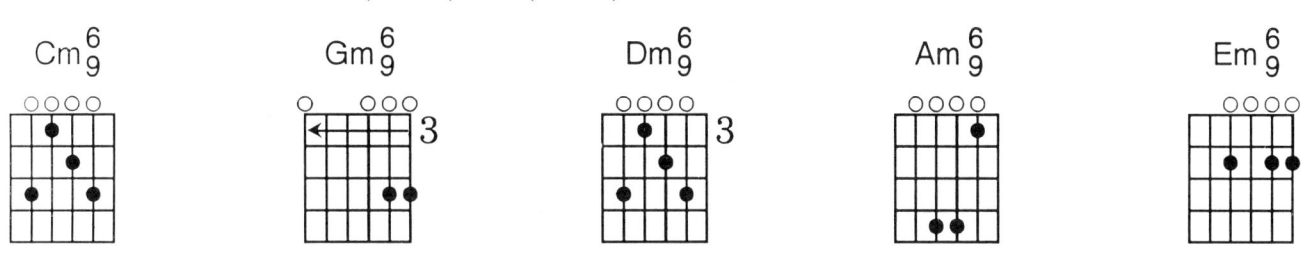

O Acorde Menor com 6ª e 9ª é formado pelos graus I, IIIm, V, VI e IX. Substitui o Acorde Menor, sobretudo nos finais de música. Exemplo: "Marcha da quarta-feira de cinzas" – Tom = Gm (p. 96).

IVm	V7	Im	+ Im
Cm7	D7(♭9)	Gm7	Gm$_9^6$
E o povo cantando seu	canto	de paz...	

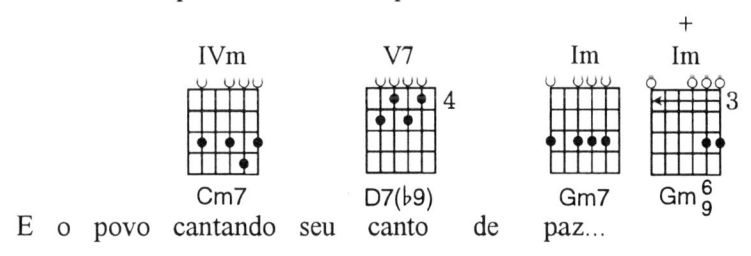

6- Acordes Menores com 9ª (maior) adicional

Cm(add9)   Gm(add9)   Dm(add9)   Am(add9)   Em(add9)

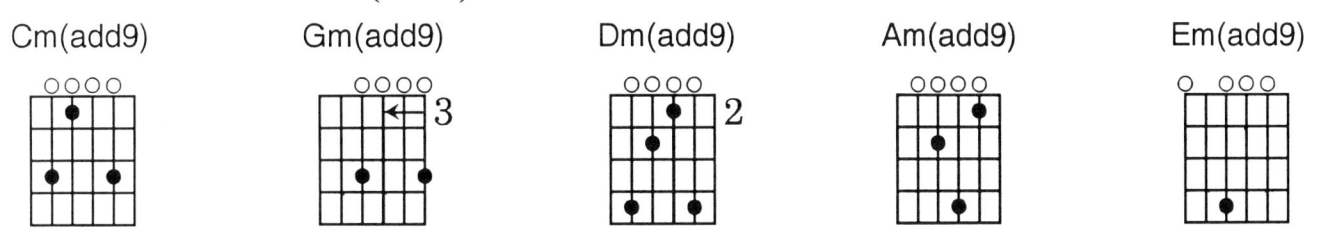

O Acorde Menor com 9ª adicional é formado pelos graus I, IIIm, V e IX. Substitui o Acorde Menor, sendo muito empregado nos finais. Exemplo: "Feio não é bonito" – Tom = Cm (p. 86).

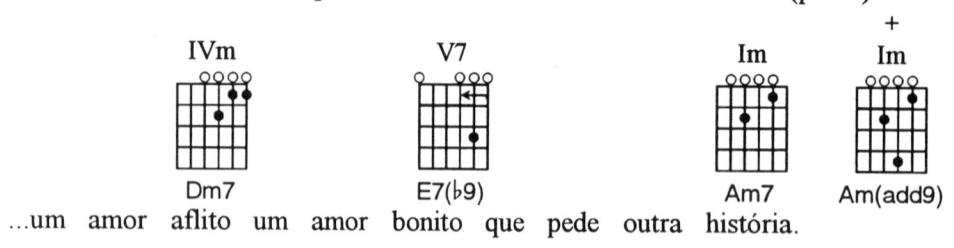

IVm	V7	Im	+Im
Dm7	E7(♭9)	Am7	Am(add9)
...um amor	aflito um amor	bonito que pede outra	história.

7- Acordes Menores com 6ª menor

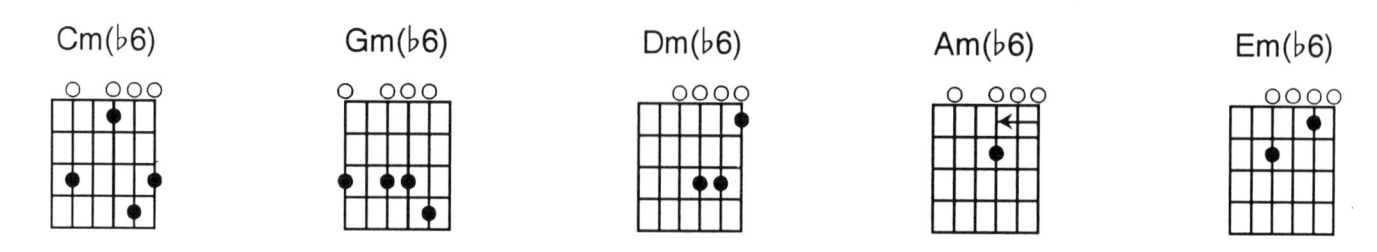

Cm(♭6)   Gm(♭6)   Dm(♭6)   Am(♭6)   Em(♭6)

O Acorde menor com 6ª menor é formado pelos graus I, IIIm, V e ♭VI. Substitui o Acorde Menor, quando em ligação com outros acordes menores do mesmo grau. Exemplo: "Entrudo" – Tom = Cm (p. 84).

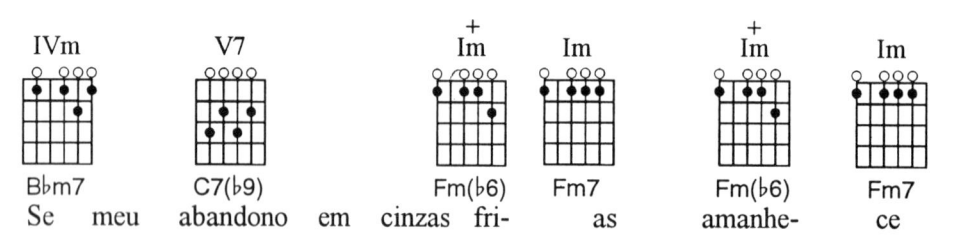

IVm	V7	+Im	Im	+Im	Im
B♭m7	C7(♭9)	Fm(♭6)	Fm7	Fm(♭6)	Fm7
Se	meu abandono em	cinzas fri-	as	amanhe-	ce

8- Acordes Menores com 7ª maior

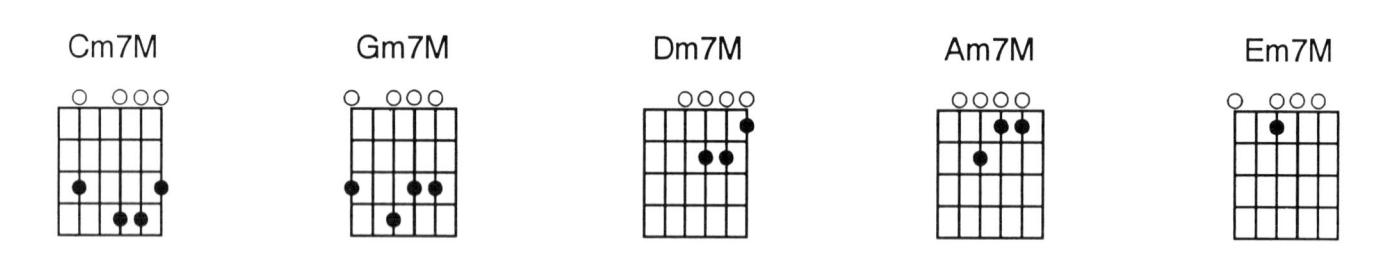

Cm7M   Gm7M   Dm7M   Am7M   Em7M

O Acorde Menor com 7ª maior é formado pelos graus I, IIIm, V e VII. Substitui o Acorde Menor, quando em ligação com outros acordes menores do mesmo grau. Exemplo: "Samba do Carioca" - Tom = Dm (p. 109).

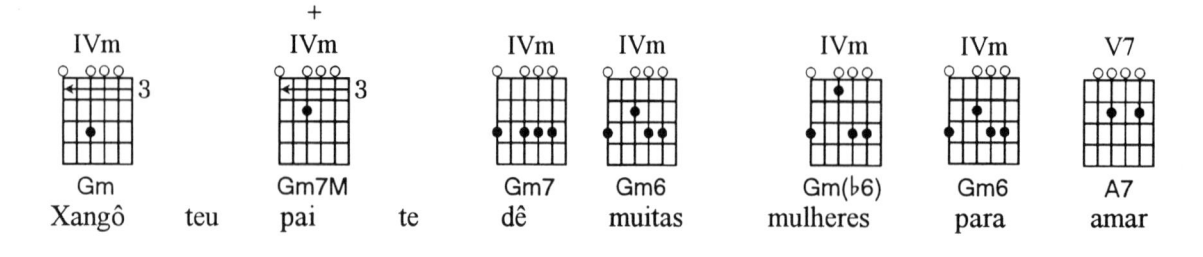

IVm	+IVm	IVm	IVm	IVm	IVm	V7
Gm	Gm7M	Gm7	Gm6	Gm(♭6)	Gm6	A7
Xangô	teu pai	te dê	muitas	mulheres	para	amar

b) ACORDES SUBSTITUTOS DAS SUBDOMINANTES MENORES (IIm e IVm)

1- Todos os acordes que substituem a Tônica Menor

2- Acordes Menores com 7ª (menor) e 5ª diminuta

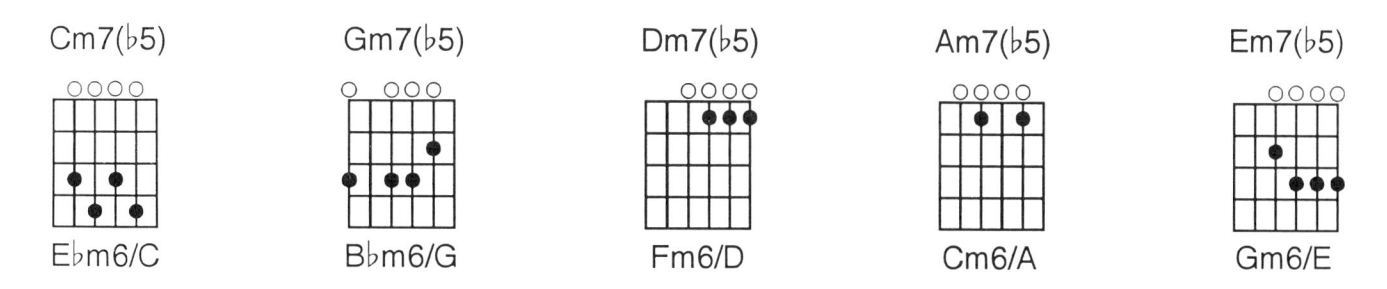

Cm7(♭5)	Gm7(♭5)	Dm7(♭5)	Am7(♭5)	Em7(♭5)
E♭m6/C	B♭m6/G	Fm6/D	Cm6/A	Gm6/E

O Acorde Menor com 7ª e 5ª diminuta é formado pelos graus I, IIIm, ♭V e VIIm. Sendo um meio termo entre o grau IIm e o grau IVm do tom menor, substitui um ou outro desses acordes enquanto Subdominantes. Exemplo: "Minha namorada" – Tom = C (p. 102).

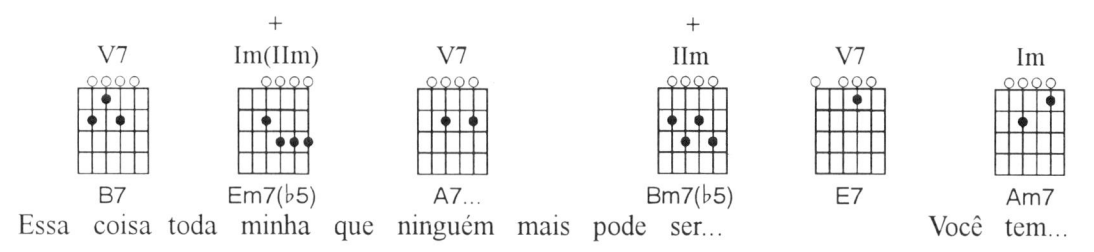

V7	+ Im(IIm)	V7	+ IIm	V7	Im
B7	Em7(♭5)	A7...	Bm7(♭5)	E7	Am7
Essa	coisa toda minha	que ninguém mais	pode ser...		Você tem...

No exemplo anterior, o acorde de Em7(♭5) substitui o acorde de Gm (grau IVm do tom de Dm, para onde se encaminhava a modulação). Logo adiante, o acorde de Bm7(♭5) substitui o acorde de Bm (grau IIm de Am). Observe-se que o acorde menor com 7ª e 5ª diminuta é uma inversão do acorde menor com 6ª de uma 3ª acima. Assim, Em7(♭5) é o mesmo que Gm6/E (Gm com 6ª no baixo) e Bm7(♭5) é o mesmo que Dm6/B (Dm com 6ª no baixo).

Há casos em que o Acorde Menor com 7ª e 5ª diminuta substitui o Acorde Maior de 1/2 tom abaixo. Isso sucede quando o Acorde Maior é o do grau IV de um tom maior. Assim, o acorde de G♯m7(♭5) substitui o acorde de G (grau IV no tom de D). Exemplo: "Influência do *jazz*" – Tom = D (p. 92).

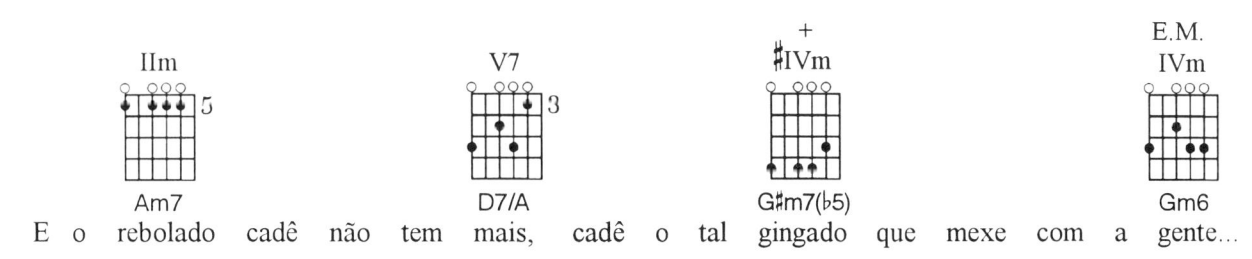

IIm	V7	+ ♯IVm	E.M. IVm
Am7	D7/A	G♯m7(♭5)	Gm6
E o rebolado cadê	não tem mais, cadê	o tal gingado que	mexe com a gente...

3- Acordes Menores com 7ª (menor) e 11ª (justa)

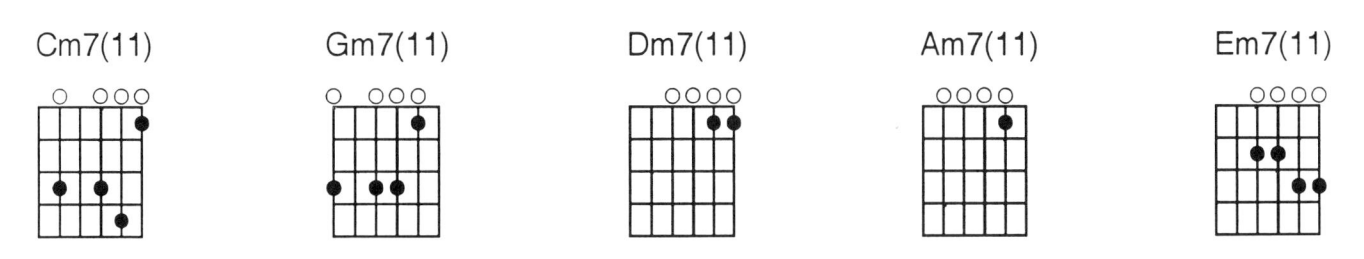

Cm7(11)	Gm7(11)	Dm7(11)	Am7(11)	Em7(11)

O Acorde Menor com 7ª e 11ª é formado pelos graus I, IIIm, V, VIIm e XI. Substitui o Acorde Menor enquanto Subdominante. Exemplo: "Primavera" – Tom = E (p. 106).

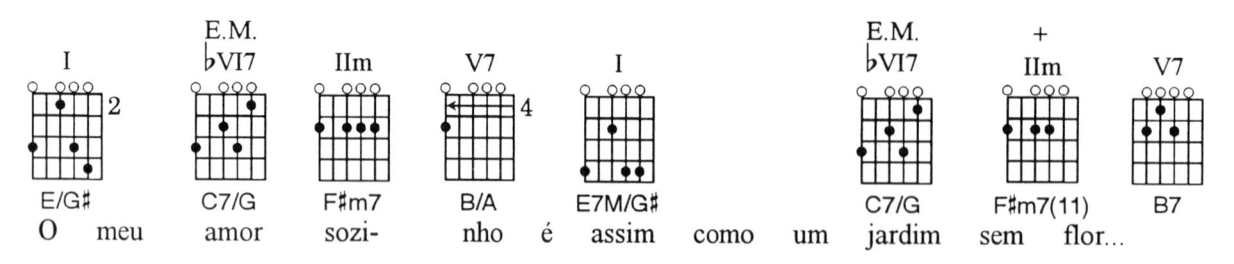

I	E.M. ♭VI7	IIm	V7	I	E.M. ♭VI7	+ IIm	V7
E/G♯	C7/G	F♯m7	B/A	E7M/G♯	C7/G	F♯m7(11)	B7
O meu	amor	sozi-	nho é	assim como um	jardim	sem	flor...

c) ACORDES SUBSTITUTOS DE TÔNICAS MAIORES (I) E SUBDOMINANTES MAIORES (IV)

1- Acordes Maiores com 7ª maior

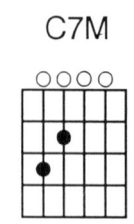

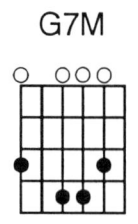

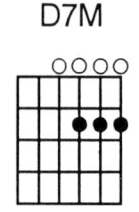

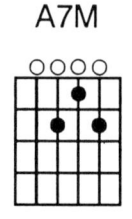

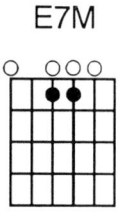

C7M   G7M   D7M   A7M   E7M

O Acorde Maior com 7ª maior é formado pelos graus I, III, V e VII. Substitui o Acorde Maior, desde que a melodia não recaia sobre a Tônica. Exemplo: "Maria Ninguém" –Tom = G (p. 100).

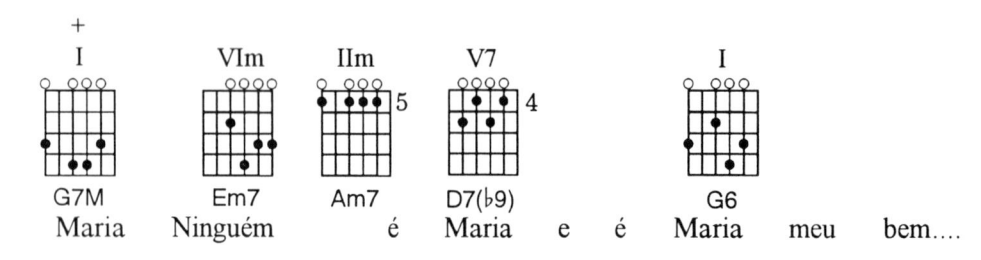

+ I	VIm	IIm	V7	I
G7M	Em7	Am7	D7(♭9)	G6
Maria	Ninguém	é Maria	e é	Maria meu bem....

2- Acordes Maiores com 6ª (maior)

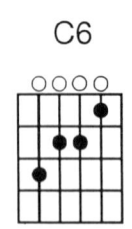

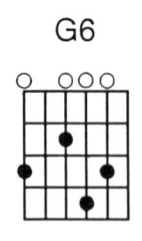

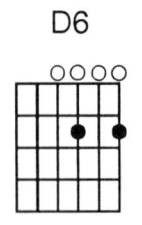

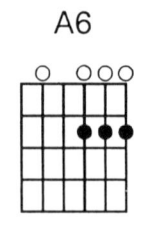

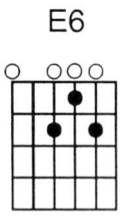

C6   G6   D6   A6   E6

O Acorde Maior com 6ª é formado pelos graus I, III, V e VI. Substitui o Acorde Maior, sobretudo quando a melodia recai na Tônica. Exemplo: "Influência do *jazz*" – Tom = D (p. 92).

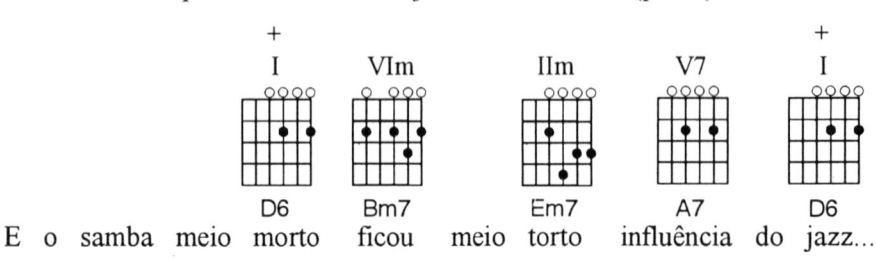

+ I	VIm	IIm	V7	+ I
D6	Bm7	Em7	A7	D6
E o samba meio morto	ficou meio torto	influência do	jazz...

O Acorde Maior com 6ª também se emprega em ligação com Acorde Maior com 7ª maior (Extensão da Tônica). Exemplo: "Canção que morre no ar" – Tom = F♯ (p. 84).

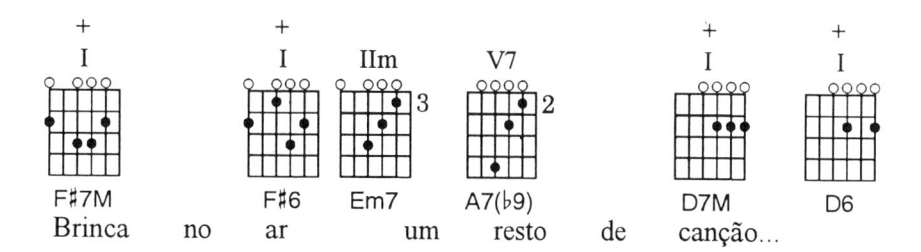

+	+			+	+
I	I	IIm	V7	I	I
F♯7M	F♯6	Em7	A7(♭9)	D7M	D6
Brinca	no	ar um	resto de	canção...	

Também os Acordes Maiores com 7ª maior e Acordes Maiores com 6ª são usados em distintas inversões. A 1ª inversão, em alguns tons, é muito comum no violão. Exemplo: "Influência do *jazz*" – Tom = D (p. 92).

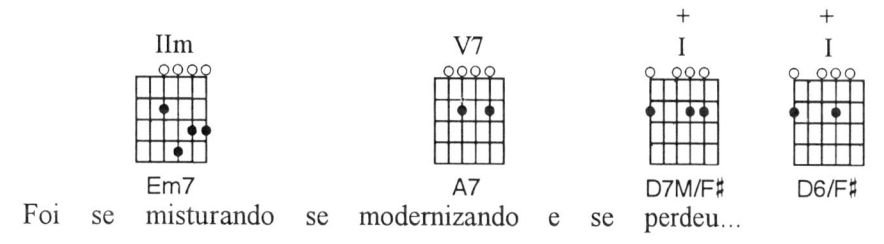

IIm	V7	+ I	+ I
Em7	A7	D7M/F♯	D6/F♯
Foi se misturando	se modernizando	e se perdeu...	

Exercício: Desenhar em gráficos de violão os Acordes Maiores com 7ª maior e 6ª, na 1ª inversão, nos demais tons básicos. (v. gráficos p. 113).

3- Acordes Maiores com 7ª maior e 9ª (maior)

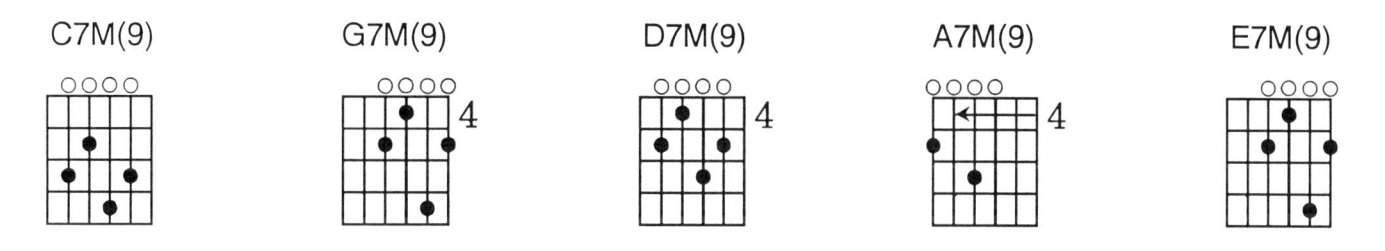

C7M(9) G7M(9) D7M(9) A7M(9) E7M(9)

O Acorde Maior com 7ª maior e 9ª é formado pelos graus I, III, V, VII e IX. Substitui os Acordes Maiores da mesma forma que o Acorde Maior com 7ª maior, ou seja, desde que a melodia não recaia sobre a Tônica. Exemplo: "Minha namorada"- Tom = C (p. 102).

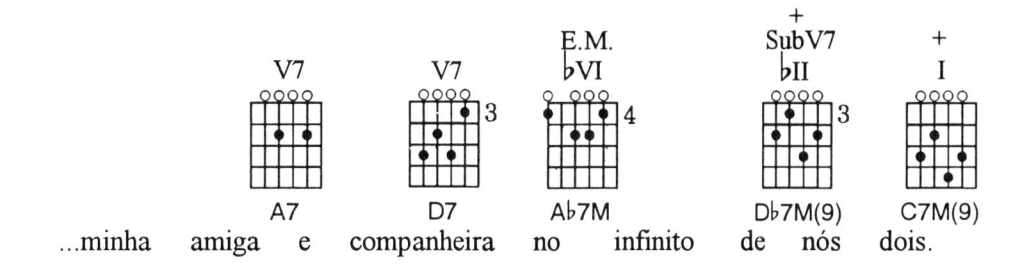

V7	V7	E.M. ♭VI	+ SubV7 ♭II	+ I
A7	D7	A♭7M	D♭7M(9)	C7M(9)
...minha amiga	e companheira	no infinito	de nós	dois.

4- Acordes Maiores com 6ª (maior) e 9ª (maior)

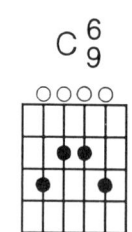

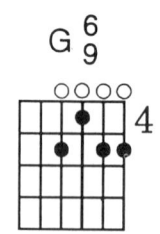

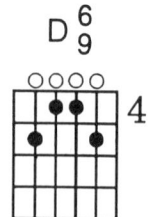

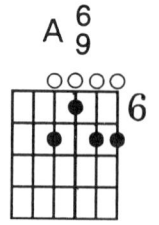

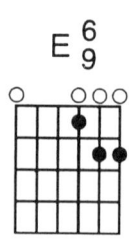

C^6_9 G^6_9 D^6_9 A^6_9 E^6_9

O Acorde Maior com 6ª e 9ª é formado pelos graus I, III, V, VI e IX. Como o Acorde Maior com 6ª, substitui o Acorde Maior, especialmente quando a melodia recai na tônica e também nos finais de música. Exemplo: "Lobo bobo" – Tom = A (p. 94).

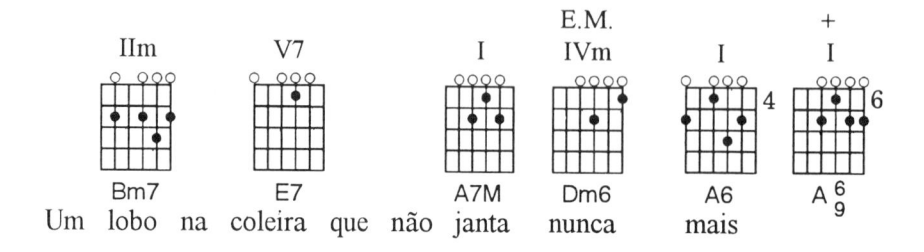

IIm	V7	I	E.M. IVm	I	+ I
Bm7	E7	A7M	Dm6	A6	A^6_9
Um lobo	na	coleira que	não janta	nunca	mais

Em alguns tons, no violão, o Acorde Maior com 6ª e 9ª é bastante usado na 2ª inversão. Exemplo: "Você e eu" – Tom = D (p. 112).

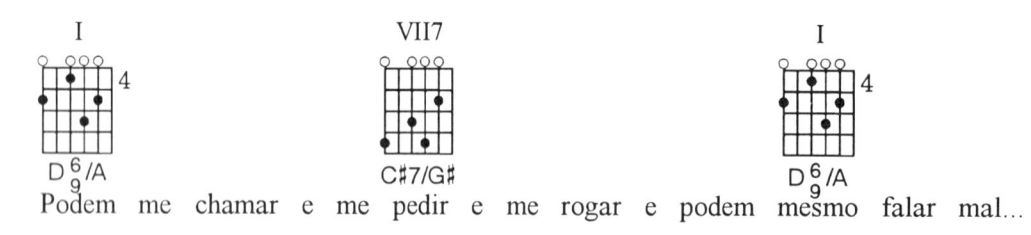

I	VII7	I
D^6_9/A	C#7/G#	D^6_9/A
Podem me chamar e	me pedir e me rogar e	podem mesmo falar mal...

Exercício: Desenhar em gráficos de violão os Acordes Maiores com 6ª e 9ª, na 2ª inversão, nos demais tons básicos. (v. gráficos p. 113).

5- Acordes Maiores com 7ª maior e 5ª aumentada

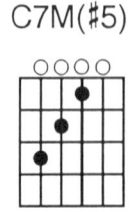

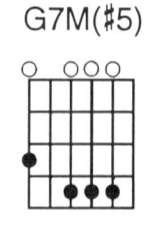

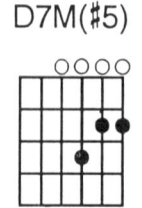

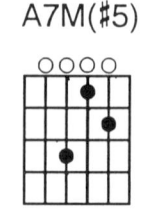

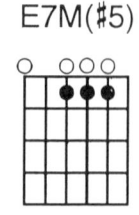

C7M(#5)   G7M(#5)   D7M(#5)   A7M(#5)   E7M(#5)

O Acorde Maior com 5ª aumentada e 7ª maior é formado pelos graus I, III, #V e VII. Substitui ou se liga a outros Acordes Maiores, quando a melodia permite. Exemplo: "Minha namorada" – Tom = C (p. 102).

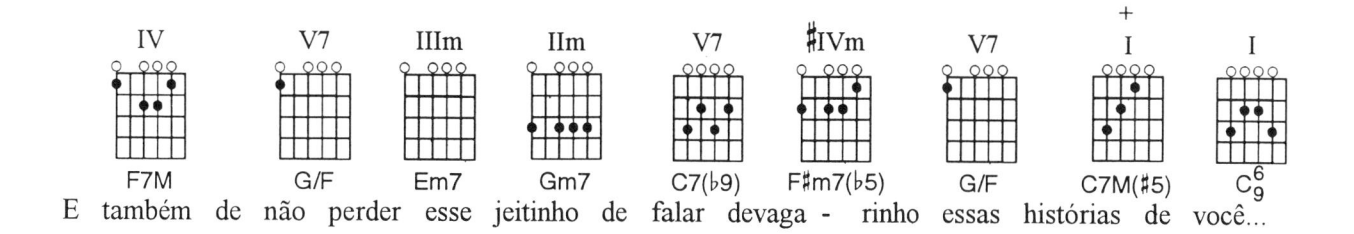

IV	V7	IIIm	IIm	V7	#IVm	V7	+I	I
F7M	G/F	Em7	Gm7	C7(b9)	F#m7(b5)	G/F	C7M(#5)	C6/9

E também de não perder esse jeitinho de falar devaga - rinho essas histórias de você...

6- Acordes Maiores com 7ª maior e 11ª aumentada

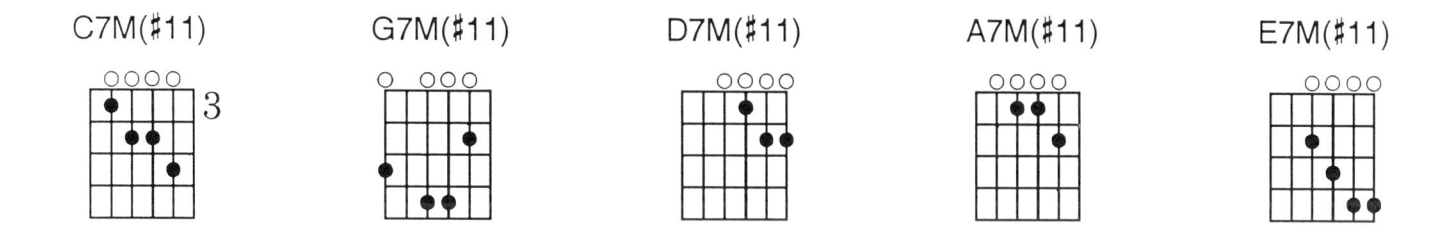

C7M(#11)   G7M(#11)   D7M(#11)   A7M(#11)   E7M(#11)

O Acorde Maior com 7ª maior e 11ª aumentada é formado pelos graus I, III, V, VII e #XI. Substitui o Acorde Maior e, naturalmente, o Acorde Maior com 7ª maior. Exemplo: "Se é tarde me perdoa" – Tom = F (p.111).

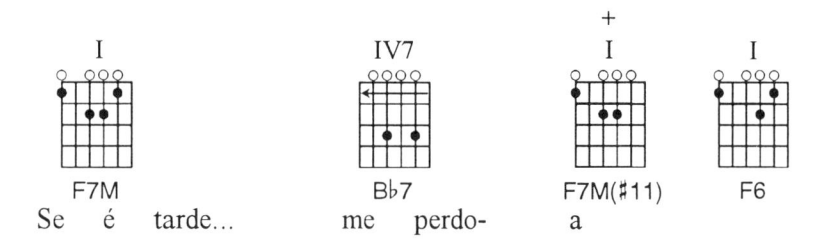

I	IV7	+I	I
F7M	Bb7	F7M(#11)	F6

Se é tarde... me perdo- a

O Acorde Maior com 7ª maior e 11ª aumentada também se liga a outros Acordes Maiores. É comum, nos finais, ser empregado junto a outro acorde de 7ª maior e 11ª aumentada de 1/2 tom acima (Subv7). Observe-se que a nota tônica da melodia é a 7ª maior do acorde de 1/2 tom acima. Exemplo: "Canção que morre no ar" – Tom = F# (p. 84).

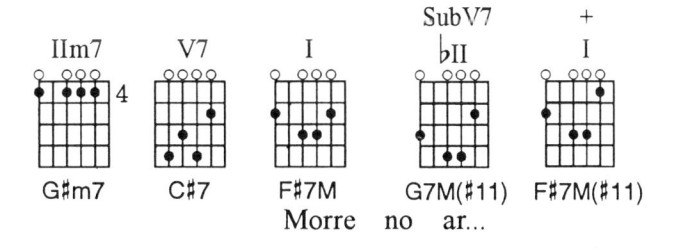

IIm7	V7	I	SubV7 bII	+I
G#m7	C#7	F#7M	G7M(#11)	F#7M(#11)

Morre no ar...

d) ACORDES SUBSTITUTOS DO ACORDE MAIOR COM 7ª (MENOR) OU DOMINANTE (V7)

1- Acordes de 7ª diminuta

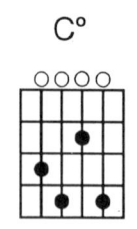

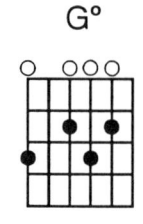

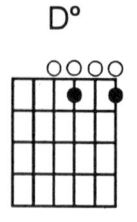

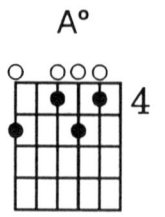

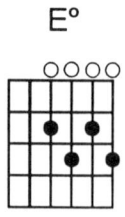

C° G° D° A° E°

O Acorde de 7ª diminuta é formado pelos graus I, IIIm, ♭V e ♭♭VII. Substitui o Acorde Maior com 7ª de 1/2 tom abaixo. Nos exemplos estarão indicados, ao lado do Acorde de 7ª diminuta, o Acorde Maior com 7ª (Dominante) que ele substitui. Exemplo: "Lobo bobo" – Tom = A (p. 94).

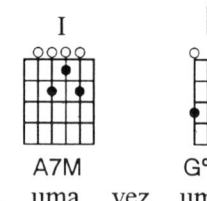

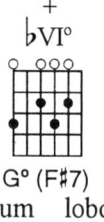

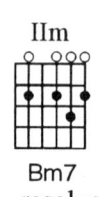

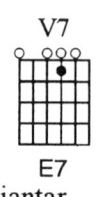

I	♭VI°	IIm	V7
A7M	G° (F♯7)	Bm7	E7
Era uma vez	um lobo mau que	resolveu	jantar alguém...

A particularidade do Acorde de 7ª diminuta consiste em que as quatro notas que o formam produzem quatro Acordes de 7ª diminuta, em diferentes inversões do mesmo acorde. Nesse caso, cada uma das inversões substitui um Acorde Maior com 7ª (Dominante) de 1/2 tom abaixo. Assim, no acorde de G, do exemplo anterior, formado pelas notas G (I), B♭ (IIIm), D♭ (♭V) e F♭ (♭♭VII), observa-se:

G°	=	Estado Fundamental e substitui o acorde de F♯7
B♭°	=	G°/B♭ ou G° na 1ª inversão e substitui o acorde de A7
D♭°	=	G°/D♭ ou G° na 2ª inversão e substitui o acorde de C7
F♭°	=	G°/F♭ ou G° na 3ª inversão e substitui o acorde de E♭7

Os Acordes Maiores com 7ª a serem substituídos estão 1/2 tom abaixo de cada uma das inversões de 7ª diminuta.

Por sua particularidade em possibilitar outras três inversões com as mesmas notas, o Acorde de 7ª diminuta se repete, em formações idênticas no violão, a cada três casilhas:

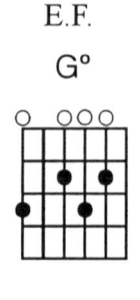

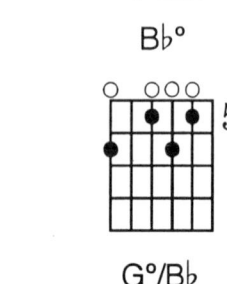

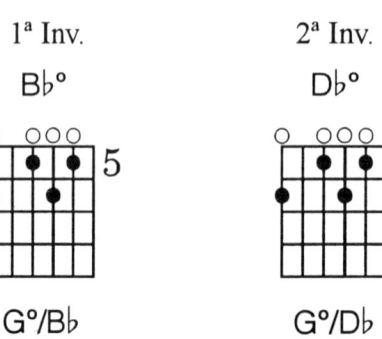

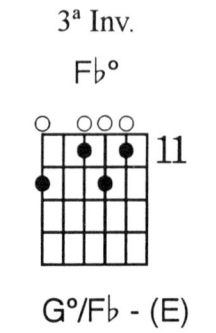

E.F.	1ª Inv.	2ª Inv.	3ª Inv.
G°	B♭°	D♭°	F♭°
	G°/B♭	G°/D♭	G°/F♭ - (E)

Conclui-se que, na verdade, os doze tons podem ser distribuídos em três grupos de Acordes de 7ª diminuta, onde cada grupo apresenta quatro inversões de um mesmo acorde. Assim:

$$C° = E\flat° = G\flat° = B\flat\flat° \;(A°)$$
$$C\sharp° = E° = G° = B\flat°$$
$$D° = F° = A\flat° = C\flat° \;(B°)$$

No exemplo musical anterior, "Lobo bobo", pode-se utilizar os acordes de B♭, D♭ ou F♭ como opções do acorde de G. A escolha se fará segundo o gosto de quem harmoniza e buscando o melhor encadeamento entre os baixos.

O acorde de 7ª diminuta pode ser empregado em ligação com um Acorde Maior do mesmo grau. Exemplo: "Se é tarde me perdoa" – Tom = F (p. 111).

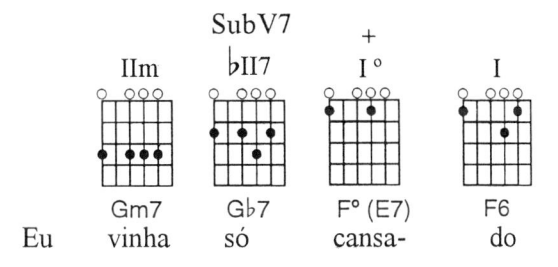

	IIm	SubV7 ♭II7	+ I°	I
	Gm7	G♭7	F° (E7)	F6
Eu	vinha	só	cansa-	do

2- Acordes de 7ª diminuta com 13ª menor

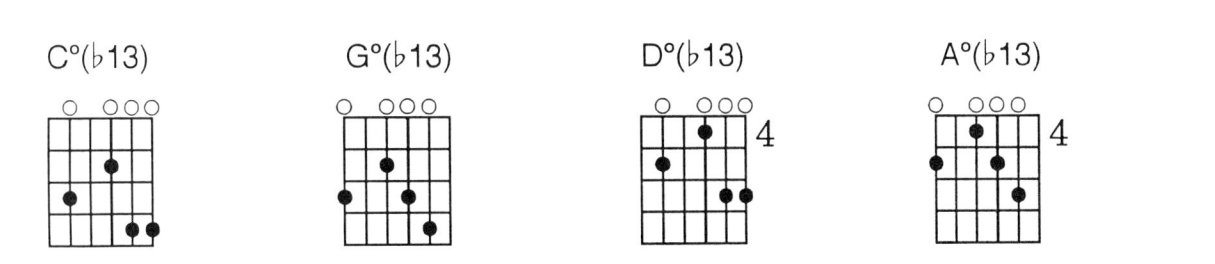

C°(♭13)   G°(♭13)   D°(♭13)   A°(♭13)   E°(♭13)

O Acorde de 7ª diminuta e 13ª menor é formado pelos graus I, IIIm, ♭♭VII e ♭XIII. Observe-se que a ♭V é dispensada. Este acorde substitui o Acorde Maior com 7ª (mais precisamente na 1ª inversão) de uma 3ª maior abaixo. No exemplo, o acorde de B°(♭13) substitui o acorde de G7 (mais precisamente G7/B). Exemplo: "Entrudo" – Tom = Cm (p. 88).

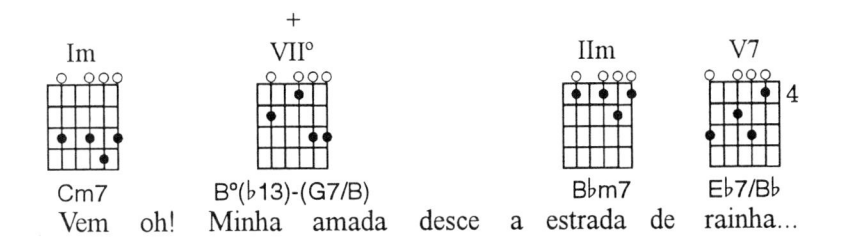

Im	+ VII°	IIm	V7
Cm7	B°(♭13)-(G7/B)	B♭m7	E♭7/B♭
Vem oh!	Minha amada desce	a estrada de	rainha...

NOTA: Apesar da semelhança entre o acorde de B°(♭13) e o acorde de E7(♯9)/B, não há nenhuma relação entre eles e a substituição do acorde de B°(♭13) por E7(♯9), ou seja, no seu Estado Fundamental, resultaria desarmônica.

3- Acordes Maiores com 7ª (menor) e 9ª menor

C7(♭9)   G7(♭9)   D7(♭9)   A7(♭9)   E7(♭9)

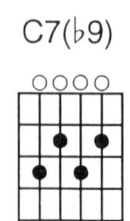

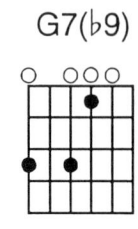

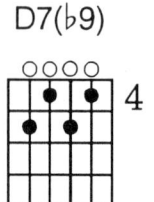

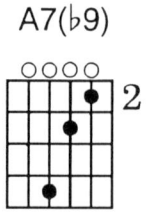

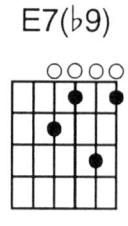

O Acorde Maior com 7ª e 9ª menor é formado pelos graus I, III, V, VIIm e ♭IX. Substitui, segundo a melodia, o Acorde Maior com 7ª. Exemplo: "Saudade fez um samba" – Tom = D (p. 110).

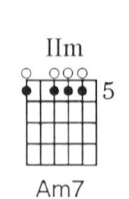

IIm	+ V7	I (IV)	E.M.	I
Am7	D7(♭9)	G7M	Gm6	D7M/F♯
A dor é minha	em mim doeu	a culpa é sua	o samba é meu,	então não vamos

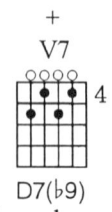

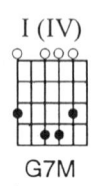

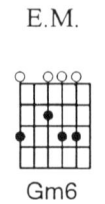

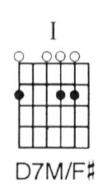

A particularidade do Acorde Maior com 7ª e 9ª menor é que na 2ª inversão e sem a Tônica vem a ser um Acorde de 7ª diminuta de uma 5ª justa acima.

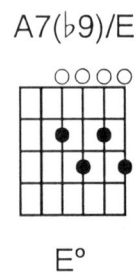

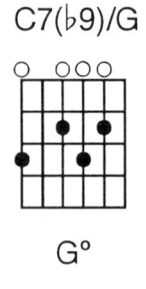

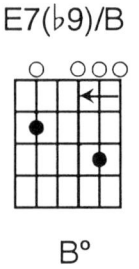

A7(♭9)/E   C7(♭9)/G   E7(♭9)/B 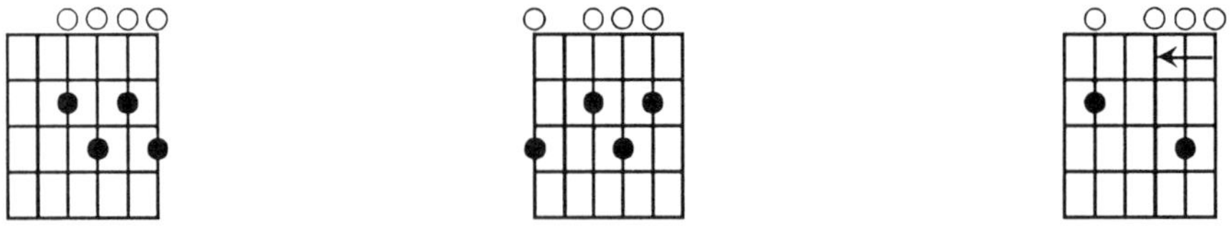
   E°   G°   B°

Por essa razão é comum, no violão, utilizar-se um ou outro. Exemplo: "Influência do *jazz*" – Tom = D (p. 92).

IIm	V7	I	+ VI7 ou III°
Em7	A7(♭9)	D7M/F♯	B7(♭9)/F♯ = F♯°
Pobre	samba	meu...	

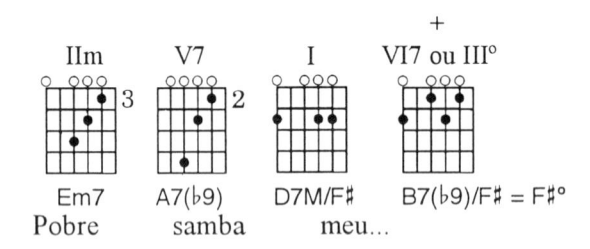

4- Acorde Maior com 7ª (menor) e 9ª (maior)

C7(9)   G7(9)   D7(9)   A7(9)   E7(9)

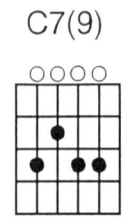

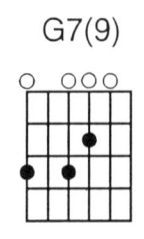

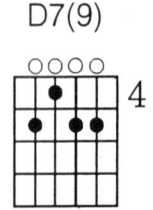

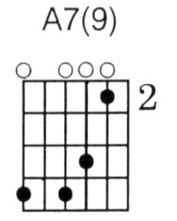

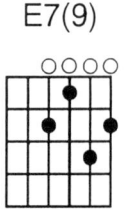

O Acorde Maior com 7ª e 9ª é formado pelos graus I, III, V, VIIm e IX. Substitui o Acorde Maior com 7ª, segundo a melodia. Exemplo: "Se é tarde me perdoa" – Tom = F (p. 111).

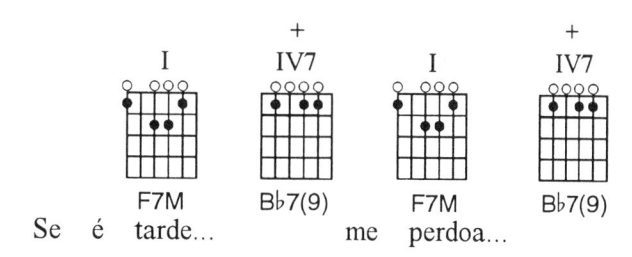

	I	+ IV7	I	+ IV7
	F7M	B♭7(9)	F7M	B♭7(9)
	Se é tarde...		me perdoa...	

O Acorde Maior com 7ª e 9ª na 2ª inversão e sem a tônica é idêntico ao Acorde menor com 6ª de uma 5ª justa acima. Assim, no violão, D7(9)/A = Am6. Por essa razão, em muitos casos usa-se um ou outro no violão. Exemplo: "Feio não é bonito" – Tom = Am (p. 90).

I	+ SubV7 ♭II7	I	E.M. ♭IVm	Im	+ SubV7 ♭II7	Im	V7
Dm7	E♭7(9)	Dm7	B♭m6	Dm7	E♭7(9)	Dm7	E7(♭9)
Chora	mas	chora rindo...	Porque é	valente e	nunca se	deixa	quebrar... Ah!

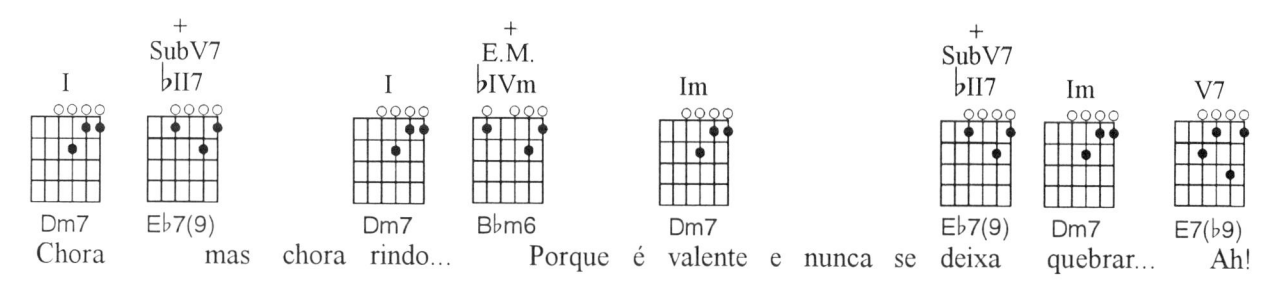

No exemplo anterior, o acorde de B♭m6 (uma 5ª justa acima de E♭) é o mesmo que o acorde de E♭7(9)/B♭, ou seja, na 2ª inversão. Observe-se que o acorde de E♭7(9) é o SubV7 em relação ao acorde de Dm7 (Im de Dm). Portanto, o acorde de B♭m6 (ou E♭7(9)/Bb) também faz o mesmo papel.

5- Acordes Maiores com 7ª (menor) e 9ª aumentada

C7(♯9)   G7(♯9)   D7(♯9)   A7(♯9)   E7(♯9)

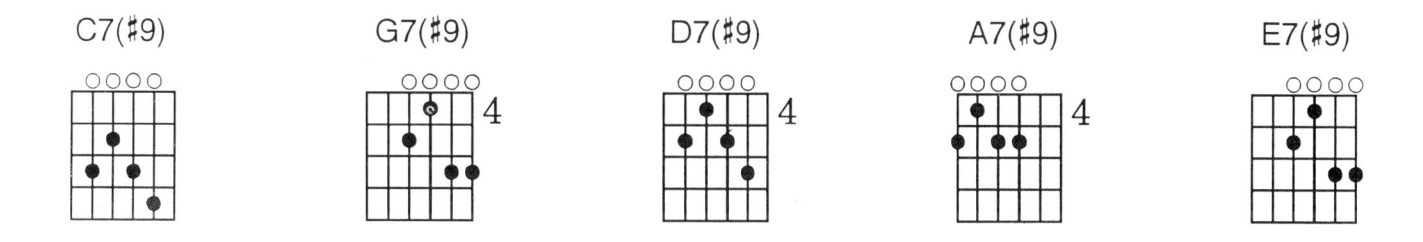

O Acorde Maior com 7ª e 9ª aumentada é formado pelos graus I, III, V, VIIm e ♯IX. Substitui, segundo a melodia, o Acorde Maior com 7ª. Exemplo: "Você e eu" – Tom = D (p. 112).

I	+ VII7
D$^6_9$	C♯7(♯9)
Podem me chamar e me pedir e me rogar...	

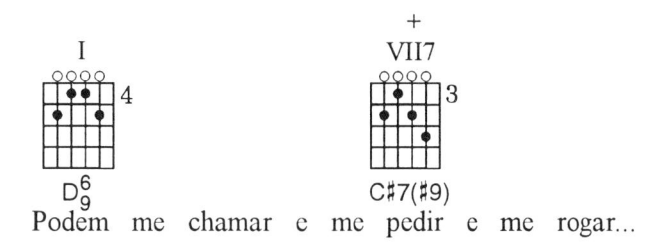

6- Acordes Maiores com 7ª (menor) e 4ª (justa)

$C\frac{7}{4}$ $G\frac{7}{4}$ $D\frac{7}{4}$ $A\frac{7}{4}$ $E\frac{7}{4}$

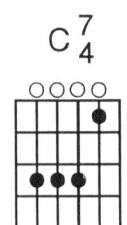

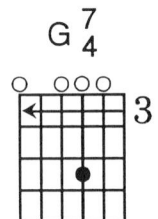

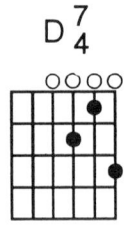

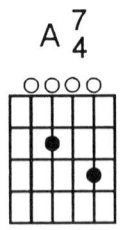

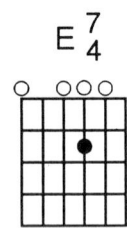

O Acorde Maior com 7ª e 4ª é formado pelos graus I, IV, V e VIIm. Substitui o Acorde Maior com 7ª ou se liga a outros acordes de Dominante. De uma certa maneira, esse acorde substitui o acorde de Subdominante. Exemplo: "Coisa mais linda" – Tom = A (p. 86)

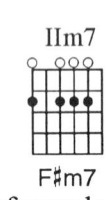

IIm7	V7 (+)	V7	V7 (+)	V7
F#m7	$B\frac{7}{4}$	B7	$E\frac{7}{4}$	E7(b9)
Perfumando a	natureza	numa	forma de	mulher...

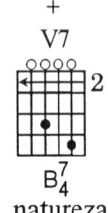

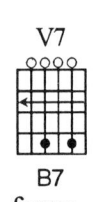

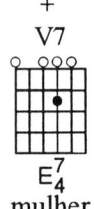

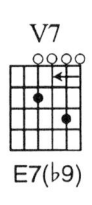

7- Acordes Maiores com 7ª (menor), 4ª (justa) e 9ª (maior)

$C\frac{7}{4}(9)$ $G\frac{7}{4}(9)$ $D\frac{7}{4}(9)$ $A\frac{7}{4}(9)$ $E\frac{7}{4}(9)$

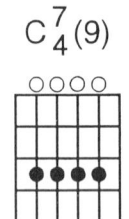

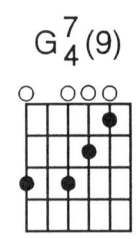

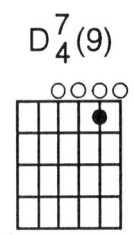

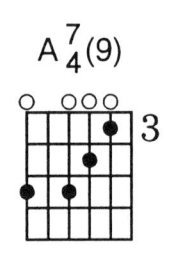

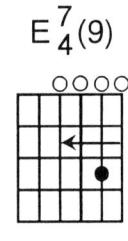

O Acorde Maior com 7ª, 4ª e 9ª é formado pelos graus I, IV, V, VIIm e IX. Como o acorde de 7ª menor e 4ª justa, substitui o Acorde Maior com 7ª ou se liga a outros acordes de Dominante. Como o acorde de 7ª e 4ª, de uma certa maneira, também substitui o acorde de Subdominante. Exemplo: "Se é tarde me perdoa" – Tom = F (p. 111)

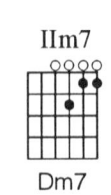

IIm7	V7	V7 (+)	V7
Dm7	G7	$C\frac{7}{4}(9)$	C7(b9)
Eu cheguei partindo	eu cheguei mentindo	eu cheguei à to-	a

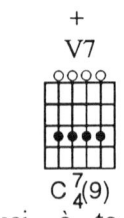

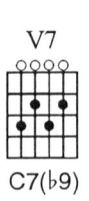

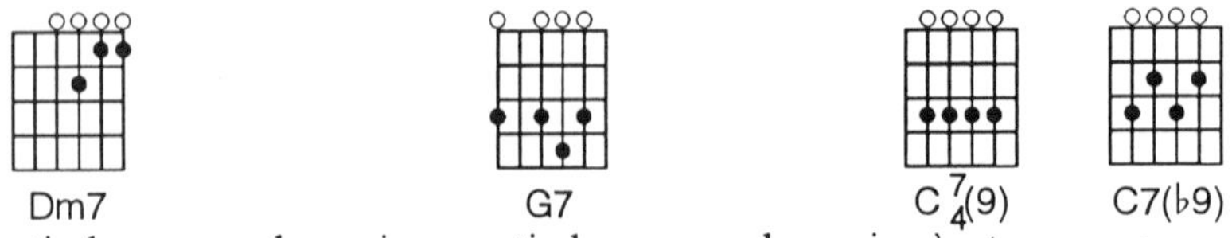

8- Acordes Maiores com 7ª (menor), 4ª (justa) e 9ª menor

$C^7_4(\flat 9)$ $G^7_4(\flat 9)$ $D^7_4(\flat 9)$ $A^7_4(\flat 9)$ $E^7_4(\flat 9)$

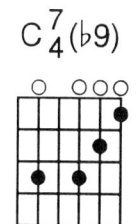

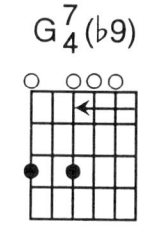

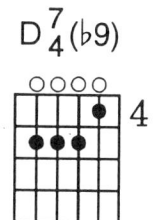

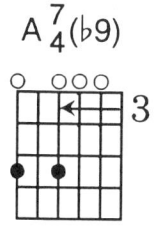

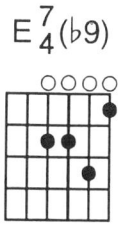

O Acorde Maior com 7ª, 4ª e 9ª menor é formado pelos graus I, IV, V, VIIm e $\flat$IX. Substitui o Acorde Maior com 7ª, dependendo da melodia. Exemplo: "Minha namorada" – Tom = C (p. 102).

V7	II7	V7	I
A7($\flat$9)	D7(9)	$G^7_4(\flat 9)$	C7M
Minha amiga e	companheira no	infinito de	nós dois...

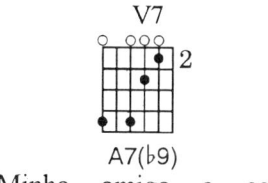

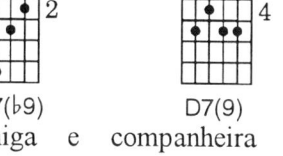

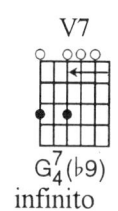

9- Acordes Maiores com 7ª (menor) e 5ª diminuta

C7($\flat$5)   G7($\flat$5)   D7($\flat$5)   A7($\flat$5)   E7($\flat$5)

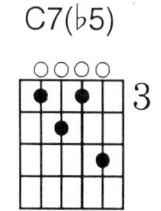

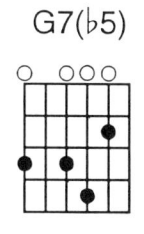

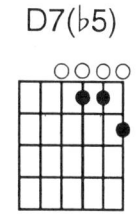

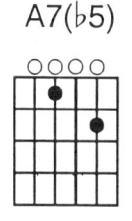

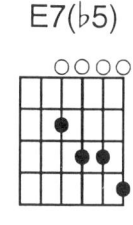

O Acorde Maior com 7ª e 5ª diminuta é formado pelos graus I, III, $\flat$V e VIIm. Substitui, dependendo da melodia, o Acorde Maior com 7ª menor. Exemplo: "Se é tarde me perdoa" – Tom = F (p. 111)

IVm	V7	Im	V7
Gm7	A7($\flat$5)	Dm7	G7
Se é tarde	me	perdoa. Eu	cheguei partindo...

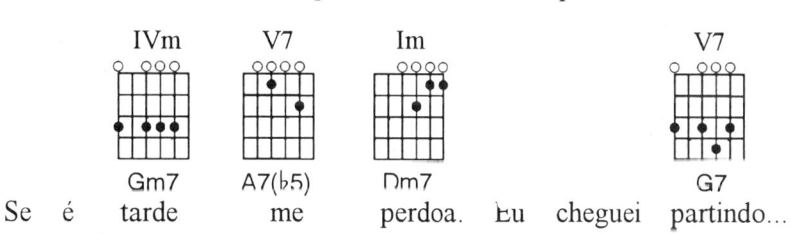

O Acorde maior com 7ª com 5ª diminuta tem a particularidade de ser uma inversão de outro acorde de 5ª diminuta acima ou abaixo. Assim, B7($\flat$5) é uma inversão de F7($\flat$5), da mesma maneira que F7($\flat$5) é uma inversão de C$\flat$7($\flat$5) que é enarmônico de B7($\flat$5). Por essa razão, dependendo da adequação e do bom gosto, pode-se empregar um ou outro. Exemplo: "Primavera" – Tom = E (p. 106).

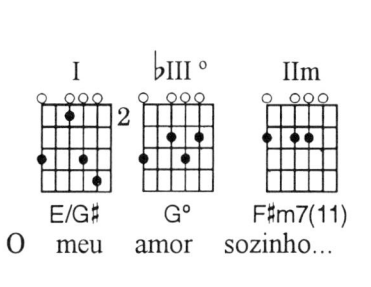

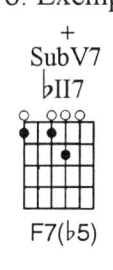

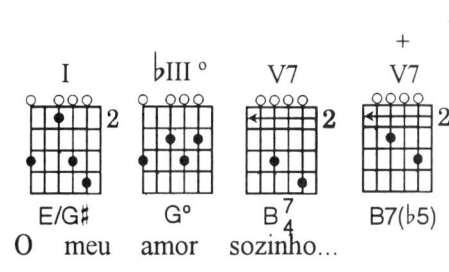

			+SubV7					+
I	$\flat$III°	IIm	$\flat$II7		I	$\flat$III°	V7	V7
E/G#	G°	F#m7(11)	F7($\flat$5)	ou	E/G#	G°	B^7_4	B7($\flat$5)
O meu amor sozinho...					O meu amor sozinho...			

No violão, o Acorde Maior com 7ª e 5ª diminuta repete-se em outras inversões, com as mesmas notas; a cada 7 casilhas.

F7(♭5)   B7(♭5)

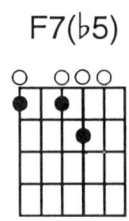

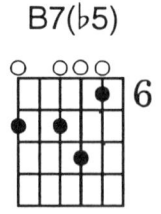

O Acorde Maior com 7ª e 5ª diminuta é empregado também, dependendo da adequação e do bom gosto, em sua 3ª inversão, ou seja, com a 7ª no baixo. Exemplo: "Se é tarde me perdoa" – Tom = F (p. 111).

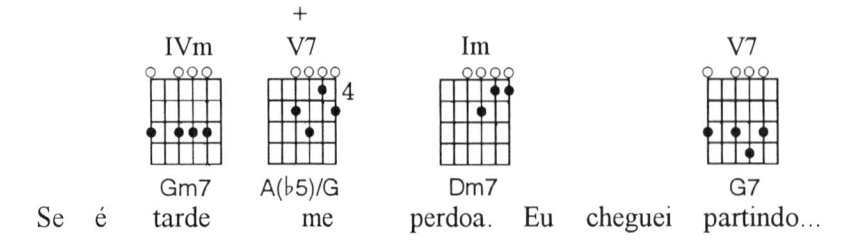

	IVm	V7 +	Im	V7
	Gm7	A(♭5)/G	Dm7	G7
	Se é	tarde me	perdoa. Eu	cheguei partindo...

Exercício: Desenhar em gráficos de violão os Acordes Maiores com 7ª e 5ª diminuta na 3ª inversão e depois desenhar as inversões destes, uma 5ª diminuta acima. Por exemplo, a 3ª inversão de F7(♭5) é F7(♭5)/E♭, assim como B7(♭5), que é uma inversão de F7(♭5), tem como 3ª inversão o acorde B7(♭5)/A. (v. gráficos p. 113).

10- Acordes Maiores com 5ª aumentada

C(♯5)   G(♯5)   D(♯5)   A(♯5)   E(♯5)

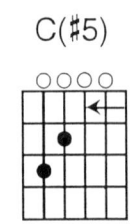

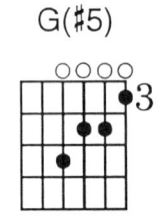

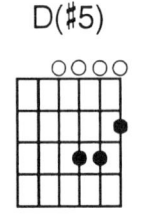

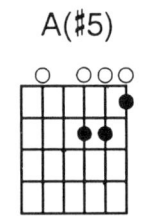

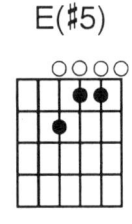

O Acorde Maior com 5ª aumentada é formado pelos graus I, III e ♯V. Ainda que tenha uma função especial como acorde de ligação, pode-se dizer que substitui o Acorde Maior com 7ª. Exemplo: "Maria Niguém" – Tom = G (p. 100).

V7	I	I +	IV	♯IV°	IIIm
D7(♭9)	G6	G(♯5)	C7M	C♯°	Bm7
Se eu	não sou	João de	nada a	Maria que	é minha é	Maria Ninguém...

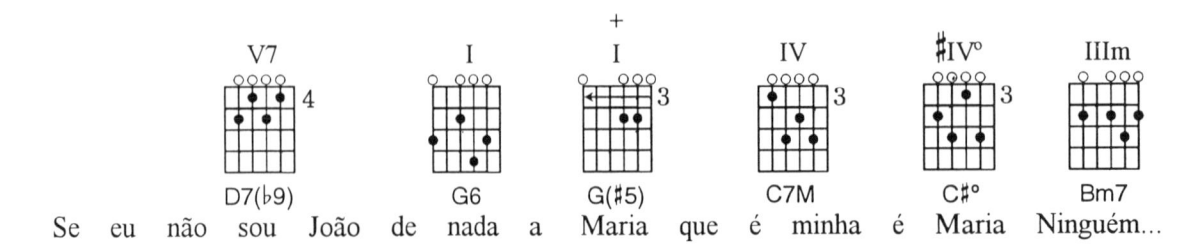

O Acorde Maior com 5ª aumentada tem a particularidade de se repetir a cada 4 casilhas, apenas em diferentes inversões. Por essa razão, o Acorde de G(♯5) do exemplo anterior pode ser substituído por suas inversões expostas a seguir:

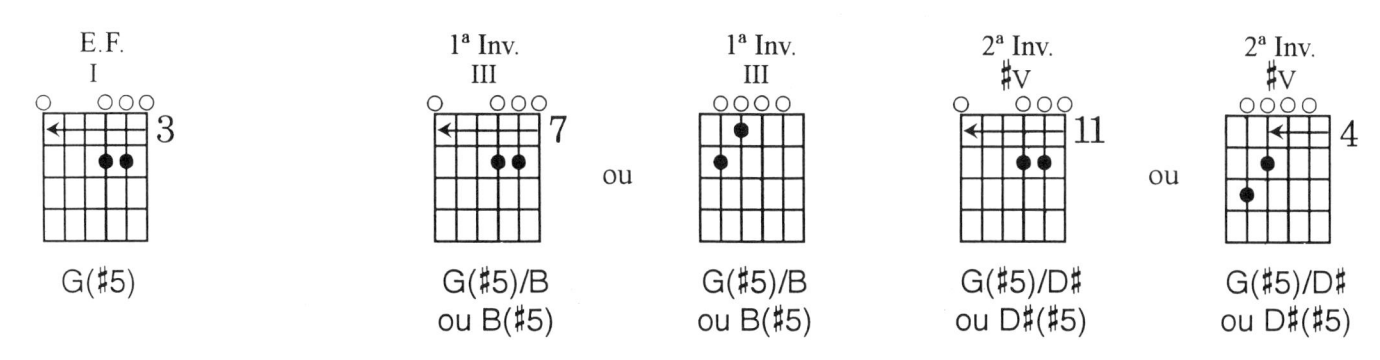

E.F. I	1ª Inv. III		1ª Inv. III	2ª Inv. ♯V		2ª Inv. ♯V
G(♯5)	G(♯5)/B ou B(♯5)	ou	G(♯5)/B ou B(♯5)	G(♯5)/D♯ ou D♯(♯5)	ou	G(♯5)/D♯ ou D♯(♯5)

11- Acordes Maiores com 7ª (menor) e 5ª aumentada (ou 13ª menor)

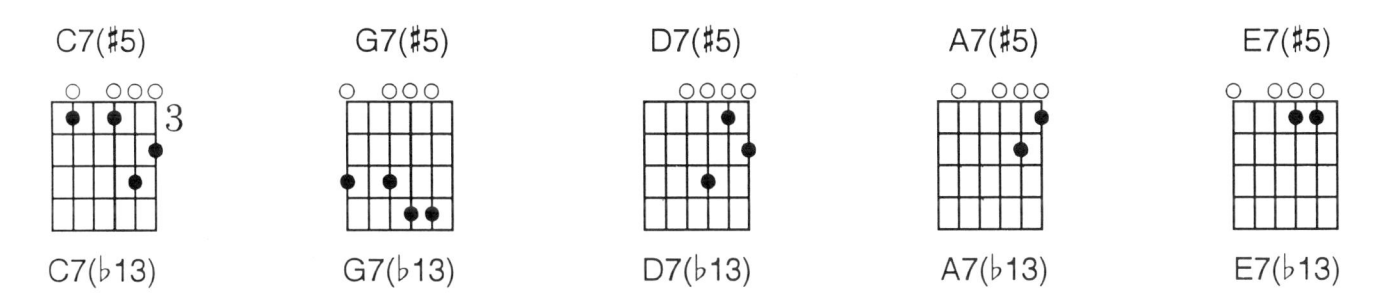

C7(♯5)	G7(♯5)	D7(♯5)	A7(♯5)	E7(♯5)
C7(♭13)	G7(♭13)	D7(♭13)	A7(♭13)	E7(♭13)

O Acorde Maior com 7ª e 5ª aumentada (ou 13ª menor) é formado pelos graus I, III, ♯V (ou ♭XIII) e VIIm. Substitui, segundo a melodia, o Acorde Maior com 7ª.

Os intervalos de ♯5 e ♭13 têm a diferença de uma oitava, mas quando a tendência é resolver em acorde maior, usa-se a ♯5. Se a tendência é resolver em acorde menor (ainda que resolva em acorde maior), usa-se a ♭13. Exemplos: "Minha namorada" – Tom = C (p. 102), "Entrudo" – Tom = Cm (p. 88) e "Maria Ninguém" – Tom = G (p. 100).

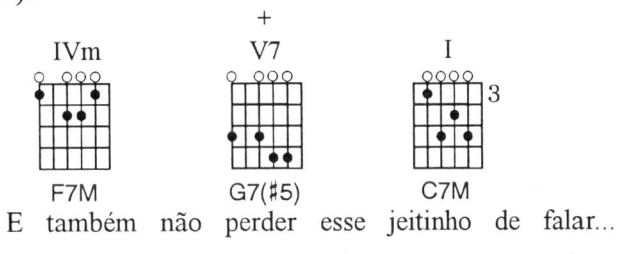

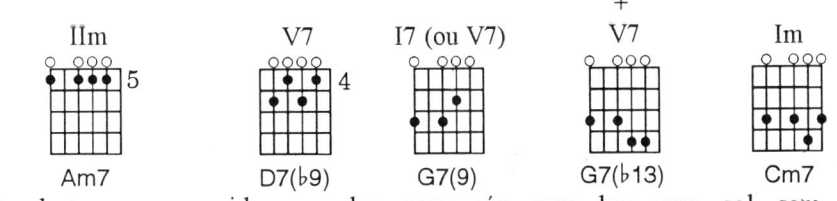

IVm	V7 +	I
F7M	G7(♯5)	C7M
E também	não perder esse	jeitinho de falar...

IIm	V7	I7 (ou V7)	V7 +	Im
Am7	D7(♭9)	G7(9)	G7(♭13)	Cm7
E rompo estandartes	na avenida em	dor sem céu	sem luz sem sol	sem cor. Mas vem

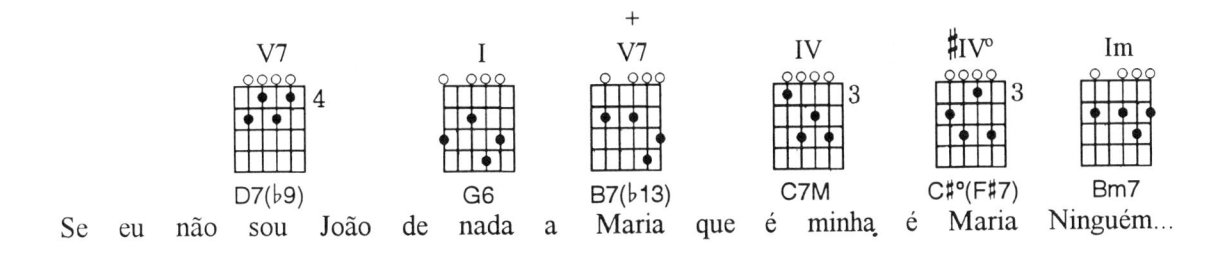

V7	I	V7 +	IV	♯IV°	Im
D7(♭9)	G6	B7(♭13)	C7M	C♯°(F♯7)	Bm7
Se eu não sou	João	de nada a	Maria que é minha	é Maria	Ninguém...

No último exemplo "Maria Ninguém", ainda que o acorde de B7(♭13) resolva num acorde maior, a tendência era resolver no relativo menor Em, do qual B7 é dominante. Isso tudo se deve a uma questão de escalas relativas aos distintos acordes, mas que não são objeto de estudo deste método. (v. "Harmonia e Improvisação", de Almir Chediak, Editora Lumiar).

O Acorde de 7ª com 5ª aumentada (ou 13ª menor) assemelha-se, por diferença de uma nota, ao Acorde de 7ª com 5ª aumentada (ou 13ª menor) de uma 3ª acima. Por essa razão, pode-se substituir um pelo outro. Exemplo: "Se é tarde me perdoa"- Tom = F (p. 111).

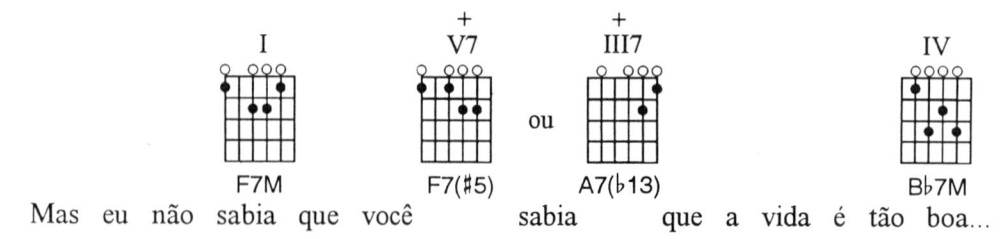

```
     I        V7+      III7+              IV
    F7M     F7(♯5)    A7(♭13)            B♭7M
Mas eu não sabia que você    sabia    que a vida é tão boa...
```

O Acorde Maior com 7ª e 5ª aumentada é comumente usado, em alguns tons do violão, na 3ª inversão (7ª menor no baixo). Exemplo: "Minha namorada" – Tom = C (p. 102).

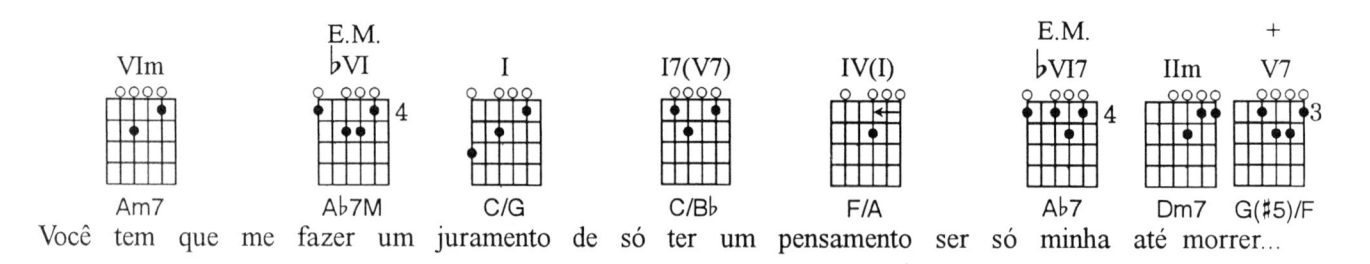

```
              E.M.                              E.M.            +
   VIm        ♭VI      I      I7(V7)   IV(I)    ♭VI7    IIm    V7
   Am7        A♭7M    C/G     C/B♭     F/A      A♭7     Dm7   G(♯5)/F
Você tem que me fazer um juramento de só ter um pensamento ser só minha até morrer...
```

Exercício: Desenhar em gráficos de violão os Acordes Maiores com 7ª e 5ª aumentada, na 3ª inversão dos demais tons básicos.

12- Acordes Maiores com 7ª (menor) e 13ª (maior)

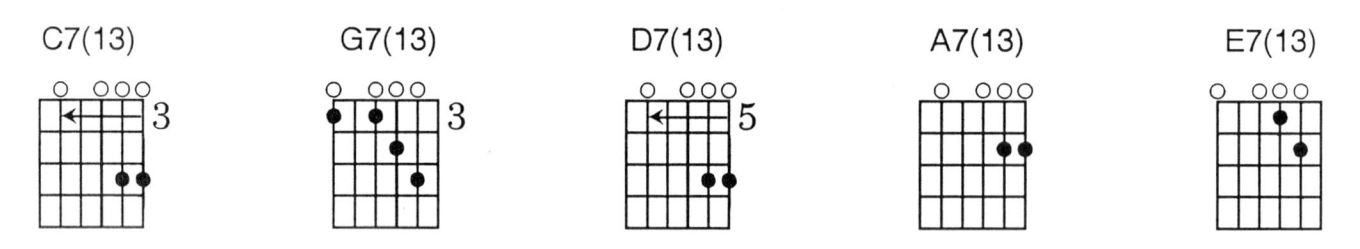

```
C7(13)      G7(13)      D7(13)      A7(13)      E7(13)
```

O Acorde Maior com 7ª e 13ª é formado pelos graus I, III, V, VIIm e XIII. Substitui, segundo a melodia, o Acorde Maior com 7ª menor. Exemplo: "Samba do Carioca" – Tom = Dm (p. 109).

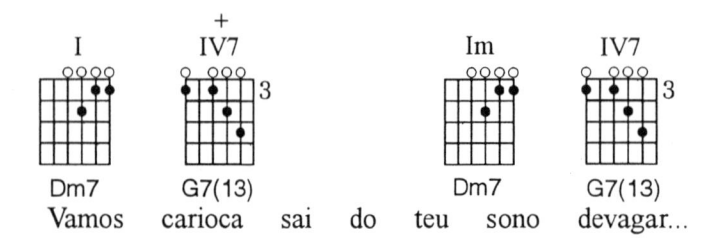

```
   I       IV7+            Im       IV7
  Dm7     G7(13)          Dm7      G7(13)
Vamos carioca sai do teu sono devagar...
```

PARTE 4

Convenções

Nesta parte, serão apresentadas partituras de várias canções com melodia, letra e harmonização para violão. Na música escrita, existem várias convenções que exemplificamos a seguir, para que o leitor possa recorrer às partituras e executar as canções, independentemente dos exemplos de harmonização das Partes II e III.

1- Claves

Existem diversas claves das quais as mais importantes são a Clave de Sol na 2ª linha e a Clave de Fá na 4ª linha (a contar de baixo para cima, em ambas as claves).

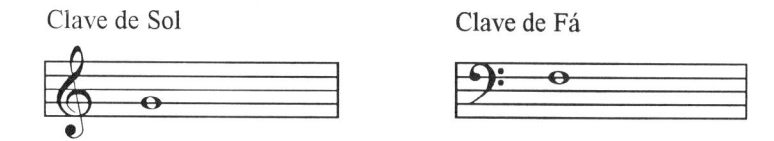

Apenas a Clave de Sol será usada nas partituras deste método. Ela indica que a nota Sol está escrita na segunda linha (a contar de baixo para cima). As demais notas são escritas nas outras linhas e nos espaços, tendo a nota Sol como referência.

2- Compassos

Também são diversos os compassos, dos quais os mais comuns são o binário (de dois tempos), o ternário (de três tempos) e o quaternário (de quatro tempos). O numerador indica o número de tempos do compasso, enquanto o denominador indica o valor da duração de cada tempo do compasso.

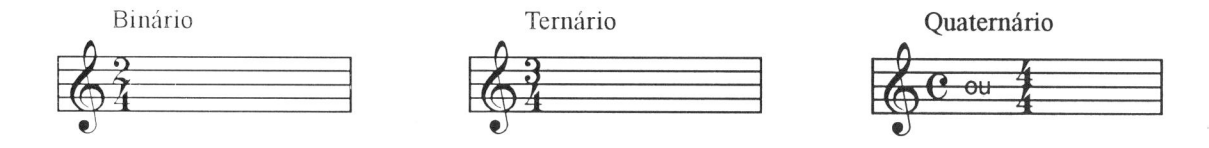

O valor de duração depende da nota musical utilizada. O valor de duração utilizado neste método é o denominador 4, que corresponde à nota musical denominada semínima. Teremos então uma semínima para cada tempo dos diferentes compassos. Assim, o compasso binário (2/4) contém duas semínimas; o compasso ternário (3/4) contém três semínimas e o quaternário (C ou 4/4) contém quatro semínimas:

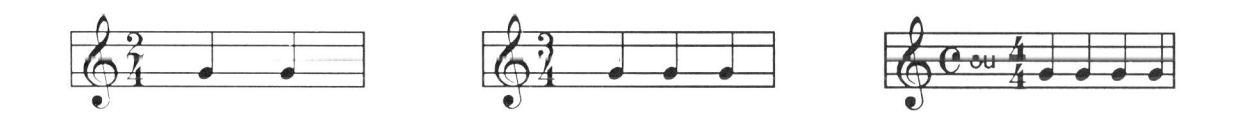

3- Armaduras de Clave

Determinam o tom em que se encontra a música. Os sustenidos ou bemois compõem a Armadura e aparecem logo após a Clave de Sol indicando que, em toda música, as notas que correspondem a esses acidentes devem ser executadas como se estivessem precedidas deles. Quando se deseja anular o efeito de um sustenido ou bemol, usa-se o (♮) bequadro.

As armaduras identificam tanto um tom maior quanto seu relativo menor. A armadura básica é a que corresponde aos tons de Dó Maior (C) e seu relativo Lá Menor (Am), e não possui nenhum acidente. Os demais tons possuem de um sustenido ou bemol a vários sustenidos ou bemois em suas armaduras. As armaduras mais comuns aos diversos tons são as seguintes:

C ou Am

G ou Em

D ou Bm

A ou F#m

E ou C#m

B ou G#m

F# ou D#m

C# ou A#m

F ou Dm

Bb ou Gm

Eb ou Cm

Ab ou Fm

Db ou Bbm

Gb ou Ebm

4- Sinais de Repetição

Por questão de economia de espaço e para se evitar repetições desnecessárias na partitura, convencionou-se utilizar uma série de sinais de repetição que são os seguintes:

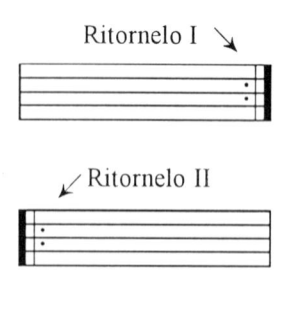

Ritornelo I

Ritornelo II

"Ritornelo" - Indicam que chegando-se ao sinal de *Ritornelo* do diagrama I, deve-se voltar ao ponto da partitura onde se encontra o sinal de *Ritornelo* mais próximo, do diagrama II. Exemplos: "Se é tarde me perdoa" (p. 111), "Você e eu" (p. 108). São muito usados nos finais em *fade-out*. Exemplo: "Entrudō" (p. 88).

Indicam, ainda, que essa volta pode se repetir uma, duas, três ou mais vezes. Exemplo: "Samba do Carioca" (p. 109).

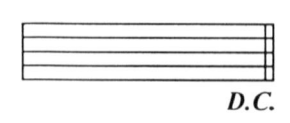

D.C.

"Da Capo" - Significa Do Início. Indica que se deve voltar, deste ponto, ao início da partitura. Exemplos: "Canção que morre no ar" (p. 84), "Minha namorada" (p. 102).

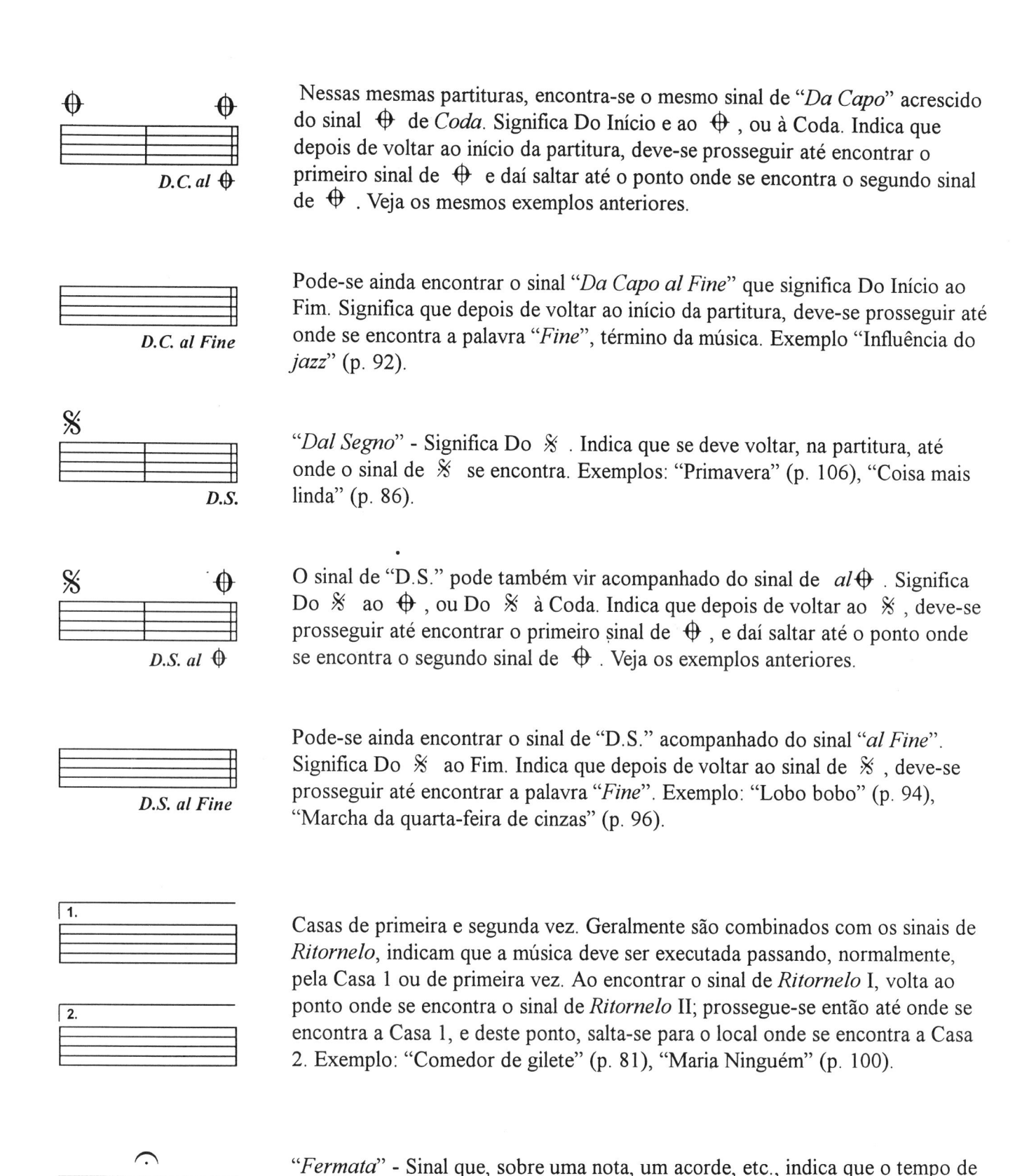

Nessas mesmas partituras, encontra-se o mesmo sinal de *"Da Capo"* acrescido do sinal ⊕ de *Coda*. Significa Do Início e ao ⊕, ou à Coda. Indica que depois de voltar ao início da partitura, deve-se prosseguir até encontrar o primeiro sinal de ⊕ e daí saltar até o ponto onde se encontra o segundo sinal de ⊕. Veja os mesmos exemplos anteriores.

Pode-se ainda encontrar o sinal *"Da Capo al Fine"* que significa Do Início ao Fim. Significa que depois de voltar ao início da partitura, deve-se prosseguir até onde se encontra a palavra *"Fine"*, término da música. Exemplo "Influência do *jazz*" (p. 92).

"Dal Segno" - Significa Do 𝄋. Indica que se deve voltar, na partitura, até onde o sinal de 𝄋 se encontra. Exemplos: "Primavera" (p. 106), "Coisa mais linda" (p. 86).

O sinal de "D.S." pode também vir acompanhado do sinal de *al* ⊕. Significa Do 𝄋 ao ⊕, ou Do 𝄋 à Coda. Indica que depois de voltar ao 𝄋, deve-se prosseguir até encontrar o primeiro sinal de ⊕, e daí saltar até o ponto onde se encontra o segundo sinal de ⊕. Veja os exemplos anteriores.

Pode-se ainda encontrar o sinal de "D.S." acompanhado do sinal *"al Fine"*. Significa Do 𝄋 ao Fim. Indica que depois de voltar ao sinal de 𝄋, deve-se prosseguir até encontrar a palavra *"Fine"*. Exemplo: "Lobo bobo" (p. 94), "Marcha da quarta-feira de cinzas" (p. 96).

Casas de primeira e segunda vez. Geralmente são combinados com os sinais de *Ritornelo*, indicam que a música deve ser executada passando, normalmente, pela Casa 1 ou de primeira vez. Ao encontrar o sinal de *Ritornelo* I, volta ao ponto onde se encontra o sinal de *Ritornelo* II; prossegue-se então até onde se encontra a Casa 1, e deste ponto, salta-se para o local onde se encontra a Casa 2. Exemplo: "Comedor de gilete" (p. 81), "Maria Ninguém" (p. 100).

"Fermata" - Sinal que, sobre uma nota, um acorde, etc., indica que o tempo de duração dos mesmos será de acordo com a escolha do executante. Exemplo: "Canção que morre no ar" (p. 84).

5- Os acordes nas partituras

A harmonização para violão está expressa, nas partituras, por gráficos que aparecem imediatamente acima dos nomes dos acordes e das letras. Um acorde pode durar um, dois, três ou mesmo todos os tempos de um compasso. Assim:

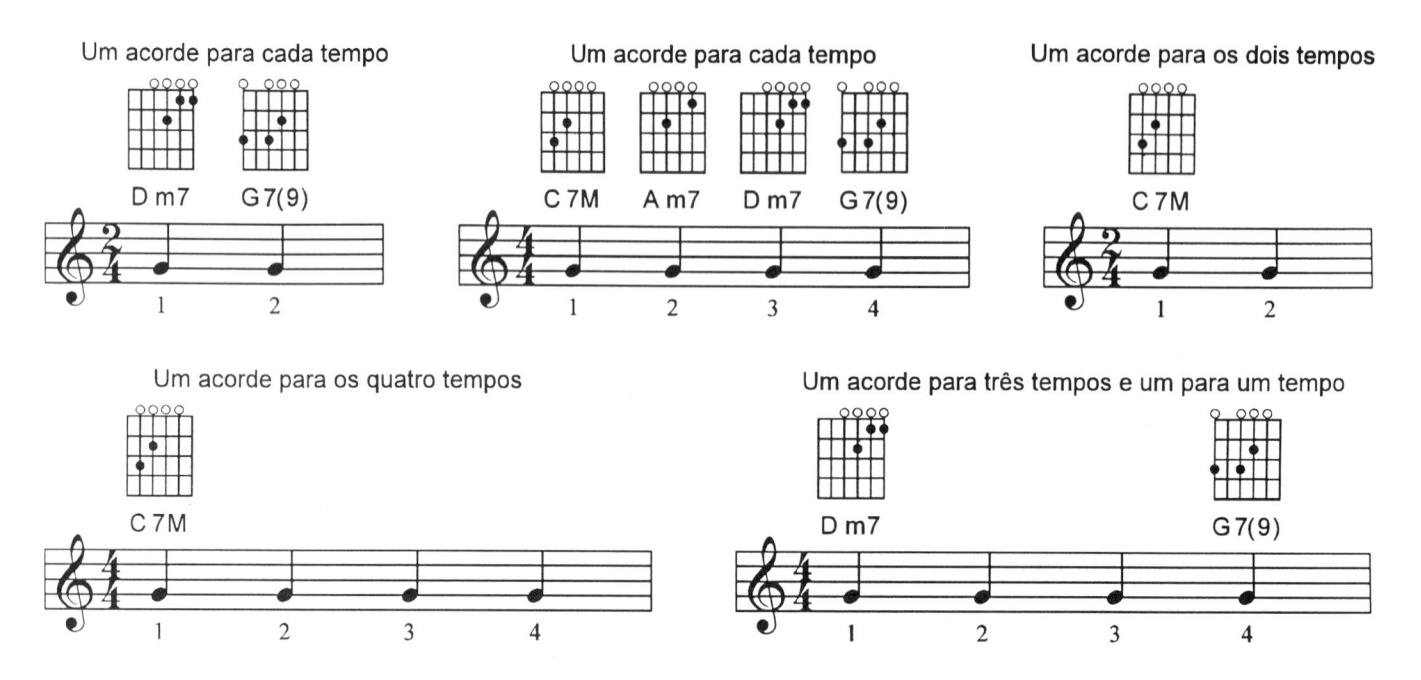

Um acorde para cada tempo: D m7 — G 7(9)

Um acorde para cada tempo: C 7M — A m7 — D m7 — G 7(9)

Um acorde para os dois tempos: C 7M

Um acorde para os quatro tempos: C 7M

Um acorde para três tempos e um para um tempo: D m7 — G 7(9)

Também usa-se um sinal de repetição (⁒) quando se trata de repetir um mesmo acorde no compasso seguinte, assim:

D 6/9/A — ⁒ — G#° — ⁒

Po - dem me cha - mar___ e me pe - dir___ e me ro - gar___ E po - dem mes -
dem me in - tri - gar___ e a - té sor - rir___ e a - té cho - rar___ E po - dem mes -

6- As letras nas partituras

As letras, nas partituras, estão escritas sobre as notas da melodia. Acontece, seguidamente, as sílabas serem separadas por hífen ou a última sílaba de uma palavra ser ligada à primeira sílaba da palavra seguinte, para satisfazer às exigências da melodia, assim:

Coi - sa mais___ bo - ni___ - ta é vo - cê___ as - sim___

PARTE 5

Músicas

COMEDOR DE GILETE
(PAU DE ARARA)

Baião-toada

CD FAIXA 10

CARLOS LYRA e
VINÍCIUS DE MORAES

Eu um di - a can - sa - do que ta - va da fo - me que eu ti - nha eu não ti - nha
-guei e jun - tei um res - ti - nho de coi - sas que eu ti - nha du - as cal - ças

na - da que fo - me que eu ti - nha que se - ca da - na - da no meu Ce - a - rá
ve - lhas e u - ma vi - o - li - nha e num Pau - de a - ra - ra to - quei pa - ra cá

Eu pe-   E de noi - te eu fi - ca - va na prai - a de Co - pa - ca-

-ba - na zan - zan - do na prai - a de Co - pa - ca - ba - na dan - çan - do o xa -

-xa - do pras mo - ças o - lhar Vir - gem San - ta que a fo - me e - ra

© Copyright by MCK PRODUÇÕES ARTÍSTICAS LTDA.
© Copyright by TONGA (BMG MUSIC PUBLISHING BRASIL LTDA).
Todos os direitos autorais reservados para todos os países. *All rights reserved.*

| Em7 | A/E | Em7 |

tan-ta que nem voz eu ti-nha meu Deus quan-ta mo-ça que fo-me que eu

| A/E | Em7 | A/E | Em7 |

ti-nha zan-zan-do na prai-a pra lá e pra cá
Pu-xa Quan-do eu

| A6/F# | Em7/A | A6/F# |

vi-da não ti-nha u-ma vi-da pi-or do que a mi-nha que vi-da da-
vi-a to-da a-que-la gen-te num co-me que co-me eu ju-ro que

| Em7/A | A6/F# | Em7/A | A6/F# |

-na-da que fo-me que eu ti-nha mais fo-me que eu ti-nha no meu Ce-a-rá
ti-nha sau-da-de da fo-me da fo-me que eu ti-nha no meu Ce-a-rá

| Em7 | A7(9) | D6 | A/C# |

E a-í eu pe-ga-va e can-ta-va e dan-ça-va o xa-xa-do e só con-se-

| Bm7 | Bm/A | F#m7/B | B7(9) | E7/4 |

-gui-a por-que no xa-xa-do a gen-te só po-de mes-mo se ar-ras-tar

82

| E7(13) | A | Em7/A | A |

Vir - gem san - ta a fo - me e - ra tan - ta que a - té pa - re - ci - a que mes - mo xa-

| Em7/A | A | Em7/A | A |

-xan - do meu cor - po su - bi - a i - gual se ti - ves - se que - ren - do vo - ar

| Em7/A | A6 | G6 | A6 |

Vou vol - tar pa - ra o meu Ce - a - rá por - que lá te - nho um no - me a - qui não sou
Vou pi - car mi - nha mu - la vou an - tes que tu - do re - ben - te por - que to a-

| G6 | A6 | G6 | A6 |

na - da sou só Zé - com - fo - me sou só Pau - de - A - ra - ra nem sei mais can - tar
-chan - do que o tem - po tá quen - te pi - or do que |1.

| G6 | | A6 | F7M | Dm7 | B♭ | A |

an - da não po - de fi - car

|2.

CANÇÃO QUE MORRE NO AR

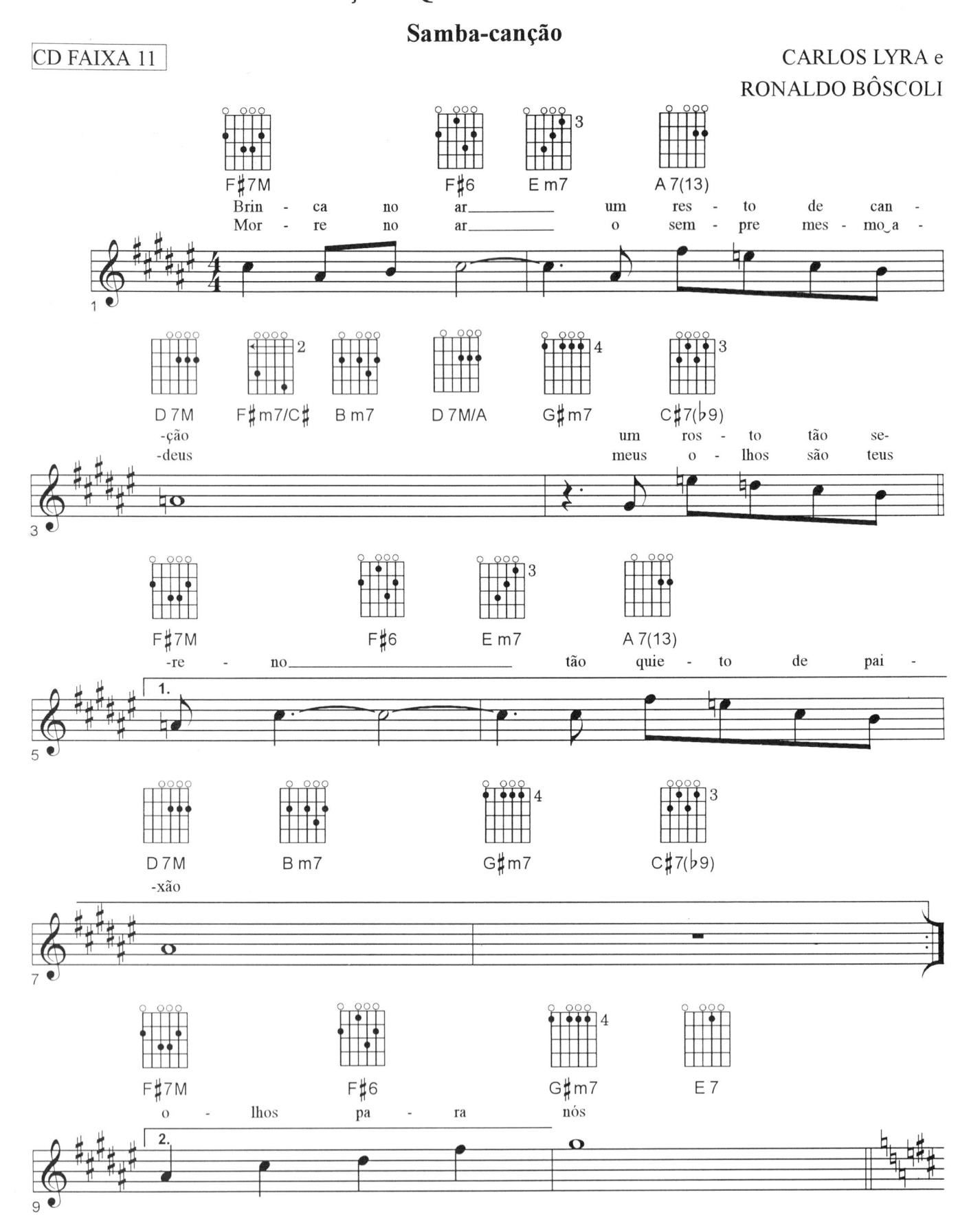

Samba-canção

CD FAIXA 11

CARLOS LYRA e
RONALDO BÔSCOLI

F#7M	F#6	Em7	A7(13)
Brin - ca no ar_____		um res - to de can -	
Mor - re no ar_____		o sem - pre mes - mo a -	

D7M	F#m7/C#	Bm7	D7M/A	G#m7	C#7(b9)
-ção				um ros - to tão se -	
-deus			meus o - lhos são teus		

F#7M	F#6	Em7	A7(13)
-re - no_____		tão quie - to de pai -	

1.

D7M	Bm7	G#m7	C#7(b9)
-xão			

2.

F#7M	F#6	G#m7	E7
o - lhos pa - ra nós			

© Copyright 1974 by IRMÃOS VITALE S/A IND. E COM. - São Paulo - Brasil.
Todos os direitos autorais reservados para todos os países. *All rights reserved.*

| A6 | C#m7/G# | F#m7 | A/E | Cm7(6) | F7(13) |

Vem um mun-do sem-pre a-

| Bb7M | Bb6 | Gm | Gm(7M) | Gm7 | C7/4(9) |

-mor o pran-to que des-li-za no sei-o de u-ma

| F7M | F6 | Em7 | A7(b9) |

flor ter-ra luz an-jo

| D7M | F#m7/C# | Bm7 | A6 | C#m7 | F#7(b13) |

só mil ca-rí-cias vo-cê

| Bm7 | E7 | Em7 | A7/4(b9) | D7M |

traz bei-jo man-so luz e paz

| G#m7 | C#7(b9) | F#7M | F#6 |

mor-re no ar

COISA MAIS LINDA

Samba bossa-nova

CD FAIXA 12

CARLOS LYRA e
VINÍCIUS DE MORAES

| A7M | A6 | A° | C#7/G# |

Coi - sa mais___ bo - ni_____ - ta é vo - cê___ as - sim___

| F#7(13) | B7(9) | E7(9) | A7(13) |

jus - ti_____ - nho vo - cê_____ eu

| D7/A | G#m7(b5) | Gm6 | F#7 |

ju - ro_____ eu não_____ sei por - que___ vo-

| B7(13) | B7(b13) | Bm7 | E7(b9) |

-cê   Vo - cê_____

| A7M | A6 | A° | C#7/G# |

____ é mais___ bo - ni_____ - ta que a flor___ quem de -
tão lin - da as - sim_____ não e - xis___ - te a flor___

© Copyright by MCK PRODUÇÕES ARTÍSTICAS LTDA.
© Copyright by TONGA (BMG MUSIC PUBLISHING BRASIL LTDA).
Todos os direitos autorais reservados para todos os países. *All rights reserved.*

| F#7(13) | B7(9) | E7(9) | A7(13) |

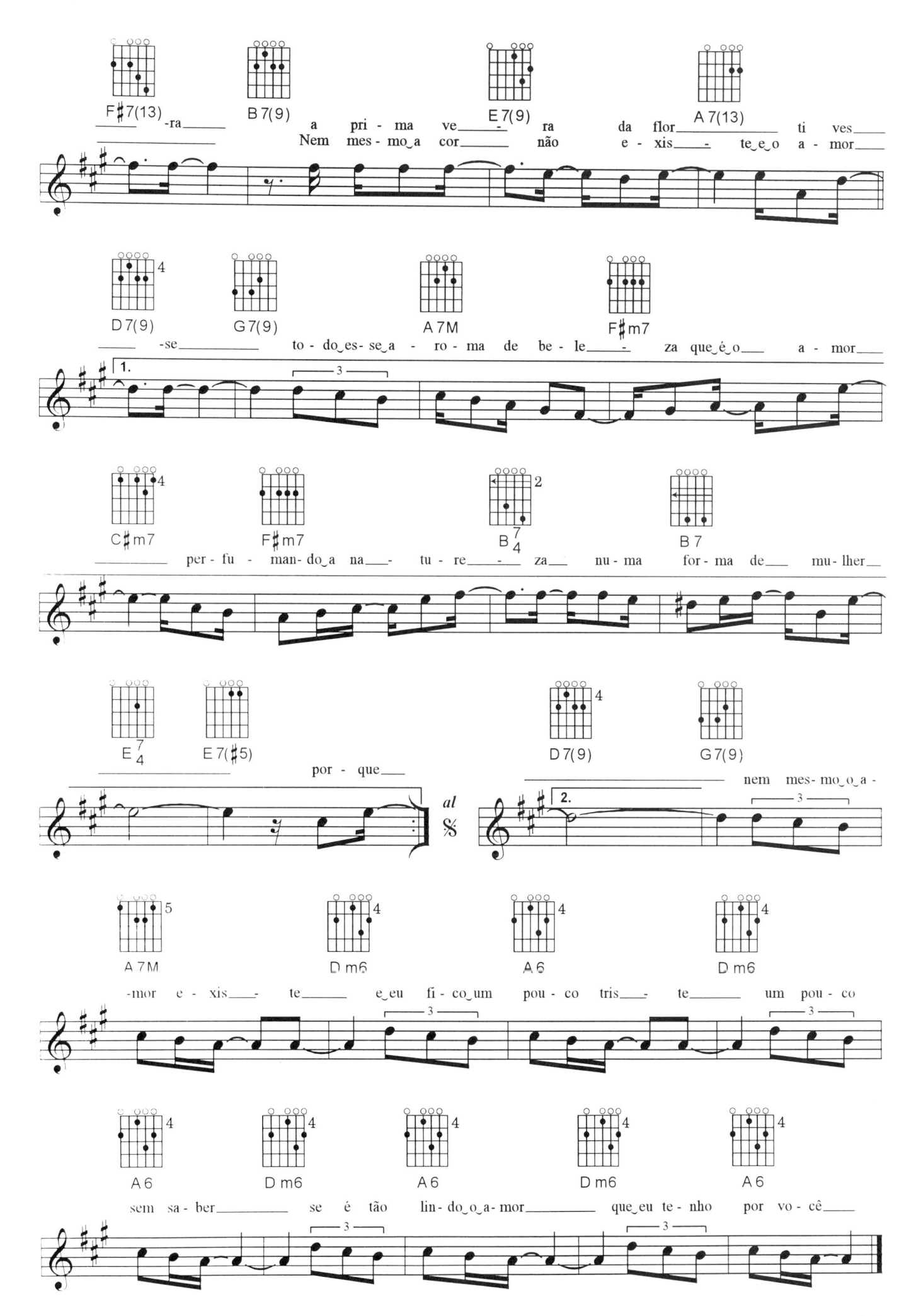

-ra___ a pri- ma ve___-ra da flor___ ti ves___
Nem mes- mo_a cor___ não e - xis- - te_o a - mor___

| D7(9) | G7(9) | A7M | F#m7 |

___-se to- do_es- se_a - ro- ma de be- le___- za que_é_o___ a- mor___

| C#m7 | F#m7 | B7/4 | B7 |

___ per- fu- man- do_a na-- tu- re___- za___ nu- ma for- ma de___ mu- lher___

| E7/4 | E7(#5) | D7(9) | G7(9) |

por - que___   nem mes- mo_a-

al %

| A7M | Dm6 | A6 | Dm6 |

-mor e- xis___- te___ e_eu fi- co_um pou- co tris___- te___ um pou- co

| A6 | Dm6 | A6 | Dm6 | A6 |

sem sa- ber___ se é tão lin- do_o_a- mor___ que_eu te- nho por vo- cê___

ENTRUDO
Marcha-rancho

CARLOS LYRA e
RUY GUERRA

Cm7	B°(♭13)	B♭m7

Vem oh!___ Minha a- ma- da___ des- ce a es- tra- da___ de ra-
Vem oh!___ Fan- ta- si- a ar- ras- ta a sai- a___ ras- ga o

B♭m6	F/A	A♭m6

-i- nha___ no pas- so do ran- cho___ cor- re o man- to___ no me- do e no es-
di- a___ meu pas- so a com- pas- so___ na a- ve- ni- da___ teu ri- so que

Cm7(9)	F7(13)	Cm7(9)	F7(13)	Gm7(♭5)

-pan- to mor___ re___ mi- nha a- le- gri___ a___
dan- ça tran___ ça___ tris- te e so- fri___ do___ Se meu___ a- ban-

C7(♭9)	Fm(♭6)	Fm7	Fm(♭6)	Fm7

-do no em___ cin- zas fri- as___ a- ma- nhe- ce___ mas o

Am7(♭5)	D7(♭9)	Dm7(♭5)	G7(♭13)

san- gue___ não se can- sa___ não se es- que- ce___ de cha- mar Eu a- bro

© Copyright by MCK PRODUÇÕES ARTÍSTICAS LTDA.
© Copyright by TREVO EDITORA MUSICAL LTDA.
Todos os direitos autorais reservados para todos os países. *All rights reserved.*

| Gm7 | C7(b9) | F7M |

a - las____ jo - go lan - ças____ ser - pen - ti - nas____ de co - res fe -

| F6 | D7/4(9) | D7(b9) |

-ri - das____ e rom - po_es - tan - dar - tes____ na a - ve - ni - da em dor____ sem

| G7(13) | G7(b13) | Cm7 |

céu sem luz____ sem sol sem cor____ mas vem oh!____ tu - do ou

| B°(b13) | Bbm7 | Bbm6 | F/A |

na - da____ meu En - tru - do____ mi - nha es - pe - ra____ meus cam - pos de guer - ra____ vem a -

| Abm6 | Cm7(9) | F7(13) | Cm7(9) | F7(13) |

-ma - da____ de tan - to que_eu can - to cha - mo____ pe - ço e pre - ci - so____

Fade out

FEIO, NÃO É BONITO
Samba bossa-nova

CARLOS LYRA e
GIANFRANCESCO GUARNIERI

| Am6 | G#°(b13) | C7/G | Gb7 |

Fei - o____ não é____ bo - ni____ - to____ o mor - ro e - xis____

| F7M | E7(b9) | Am7 | Dm7 | G7(13) | C7M |

____-te mas____ pe - de pra se a____- ca - bar_____ Can - ta____

| G7(#5) | | Gm7 | A/G |

____ mas can____-ta tris____- te_____ por - que____ tris - te____-

| Gm7 | | A/G | Em7(b5) | A7 | Dm7 |

____-za é só o____ que se tem____ pra____ con - tar_____ Cho - ra____

| Bbm6 | Dm7 | Bbm6 | Dm7 |

____ mas cho____- ra rin____- do_____ por - que é va - len____- te e nun____- ca se dei____

© Copyright by MCK PRODUÇÕES ARTÍSTICAS LTDA.
© Copyright by GIANFRANCESCO GUARNIERI.
Todos os direitos autorais reservados para todos os países. *All rights reserved.*

| Bbm6 | Dm7 | E7(b9) | Am |

-xa que - brar_____ ah!_____ a - ma

| Am(b6) | Am6 | Am7 |

____ o mor____ ro a____ ma_____ um_a_mor_____ a - fli__

| Dm7 | E7(b9) | Am7 | A7(b9) |

____ -to_um a - mor bo - ni_____ - to que pe de_ou-tra_his - tó - ria_____

| Dm7 | D#° | Am/E | F |

A - ma____ o mor____ ro a - ma_____ um_a-mor_____ a - fli__

| Dm7 | E7(b9) | Am7 | Am(add9) |

____ -to_um a - mor bo - ni_____ - to que pe de_ou-tra_his - tó - ria_____

INFLUÊNCIA DO JAZZ
Samba bossa-nova

CARLOS LYRA

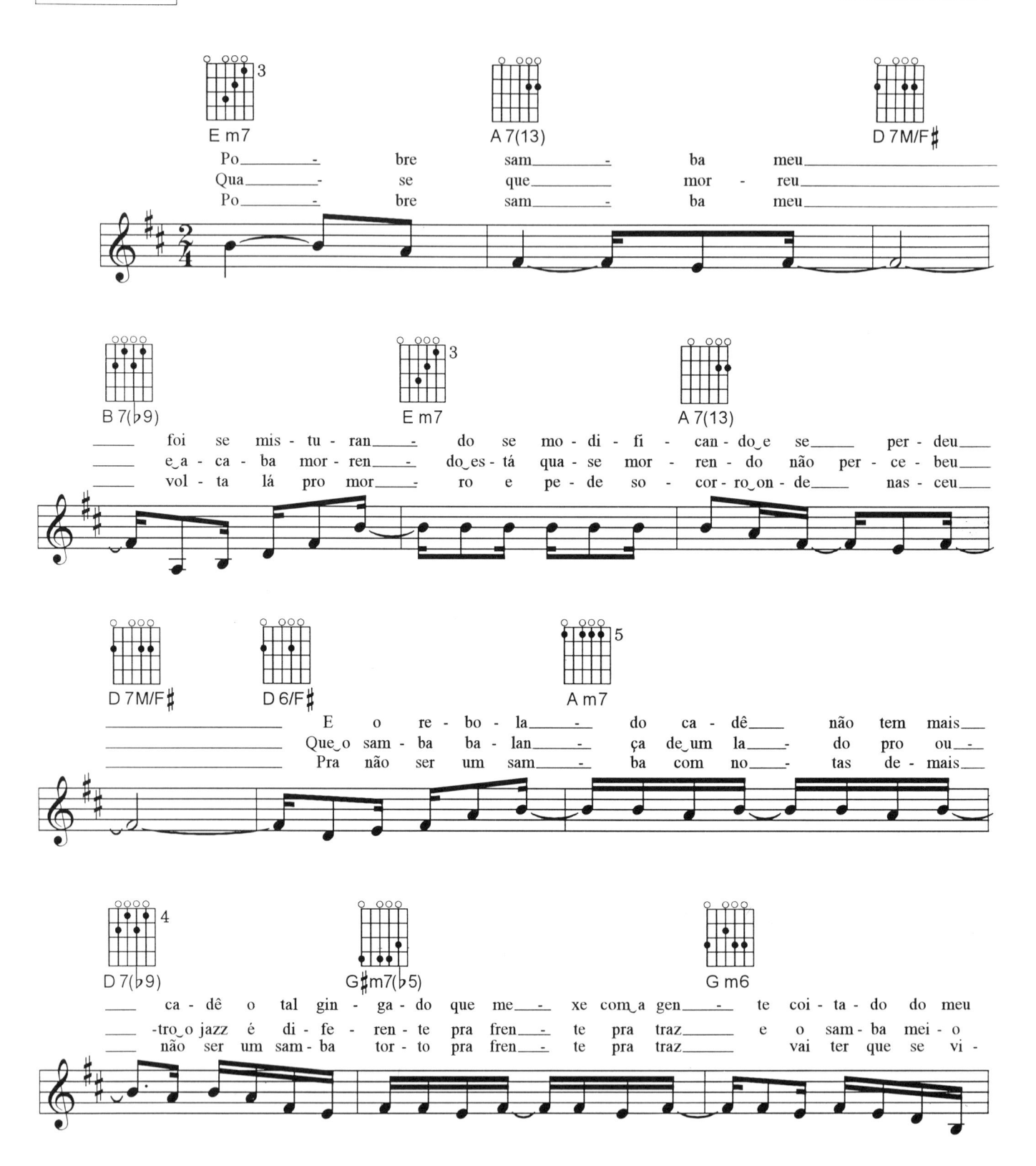

Em7 Po— bre sam— ba meu——
Qua— se que— mor - reu——
Po— bre sam— ba meu——

A7(13)

D7M/F#

B7(b9) foi se mis - tu - ran— - do se mo - di - fi - can - do e se— per - deu——
e a - ca - ba mor - ren— - do es - tá qua - se mor - ren - do não per - ce - beu——
vol - ta lá pro mor— - ro e pe - de so - cor - ro on - de— nas - ceu——

Em7

A7(13)

D7M/F# **D6/F#** **Am7**
E o re - bo - la— - do ca dê— não tem mais——
Que o sam - ba ba - lan— - ça de um la— - do pro ou - -
Pra não ser um sam— - ba com no— - tas de - mais——

D7(b9) ca - dê o tal gin - ga - do que me— - xe com a gen— - te coi - ta - do do meu
-tro o jazz é di - fe - ren - te pra fren— - te pra traz—— e o sam - ba mei - o
não ser um sam - ba tor - to pra fren— - te pra traz—— vai ter que se vi -

G#m7(b5)

Gm6

© Copyright by MCK PRODUÇÕES ARTÍSTICAS LTDA.
Todos os direitos autorais reservados para todos os países. *All rights reserved.*

| D6/F# | F° | Em7 | A7(13) | D6/9/A | B7(b9) |

samba mudou de repente_in - fluên - cia do jazz
morto ficou meio torto_in - fluên - cia do jazz
-rar pra poder se livrar da_in - fluên - cia do jazz

1. FINE

| G#m7(11) | G7(#11) | F#m7 | B7(9) | F#m7 | B7(9) |

2. No afro cubano vai_ com - pli - can - do vai_

| F#m7 | B7(9) | F#m7 | B7(9) | G#m7 | C#7(9) |

____ pe - lo ca - no vai_____ Vai en - tor - tan - do vai____

| G#m7 | C#7(9) | F#m7 | Fm7 | Em7 | A7(13) |

____ sem des - can - so vai sai_____ cai_____ do ba - lan - ço

D.C. al FINE

LOBO BOBO

Samba bossa-nova

CARLOS LYRA e
RONALDO BÔSCOLI

| A7M | A#° | Bm7 |

E - ra u-ma vez um lo - bo mau que re-sol-veu jan-tar

| E7(13) | Bm7 | E7(13) |

al - guém es - ta - va sem vin - tém mas ar - ris-cou

| A7M | F#m7 | Bm7 | E7 | A7M |

e lo - go se es - tre-pou Um Cha-peu-zi - nho de
                              Cha-peu-zi - nho per-

| A#° | Bm7 | E7(13) |

mai - ô ou - viu bu-zi - na e não pa-rou po-rém
-ce-beu que o Lo - bo Mau se der - re-teu pra ver

| Bm7 | E7(13) | C#m7(b5) |

o lo - bo in sis - te e faz ca - ra de
vo-cê que lo - bo tam-bém faz pa - pel de

| F#7(b13) | Bm7 | Dm7 | C#m7 |

tris - te___ mas Cha___- peu - zi - nho ou - viu_____ os con - se - lhos da vo - vó___
bo - bo___ só pos___- so lhe di - zer_____ Cha - peu - zi - nho a - go - ra traz___

| Cm7 | Bm7 | E7(13) | A7M | G7(9) | A6 |

___ di - zer que não pra lo___- bo que com lo___- bo não___ sai só_____
___ um lo - bo na co - lei___- ra que não jan___- ta nun___- ca mais_____

FINE

| Em7 | A7(b9) | D7M/F# | F° | Em7 | A7(9) |

Lo - bo can - ta pe - de pro - me - te tu___

| D6/F# | D6/9/A | F#m7 | B7(b9) |

___-do a - té a - mor_____ e diz___ que fra_____- co_____ de lo___-

| E6/9 | E° | Bm7 | F#7(#9) | Bm7 | E7(#5) |

_____-bo é ver___ um Cha - peu - zi___- nho de mai - ô____ Mas

Al $\%$ e FINE

MARCHA DA QUARTA-FEIRA DE CINZAS

Marcha-rancho

CARLOS LYRA e
VINÍCIUS DE MORAES

Acabou nosso carnaval ninguém
ruas o que se vê é uma
ouve cantar canções ninguém passa mais brincando fe-
gente que nem se vê que nem se sorri se beija e se a-
-liz e nos corações saudades e cinzas foi o que res-
-braça e sai caminhando dançando e cantando cantigas de a-
-tou Pelas mor

E no entanto é preciso cantar mais que nunca é pre-
Porque são tantas coisas azuis e há tão grandes pro-

© Copyright 1963 by EDITORA MUSICAL ARAPUÃ LTDA.
Todos os direitos autorais reservados para todos os países. *All rights reserved.*

| Em7 | A7(13) | A7(♭13) | A7 |

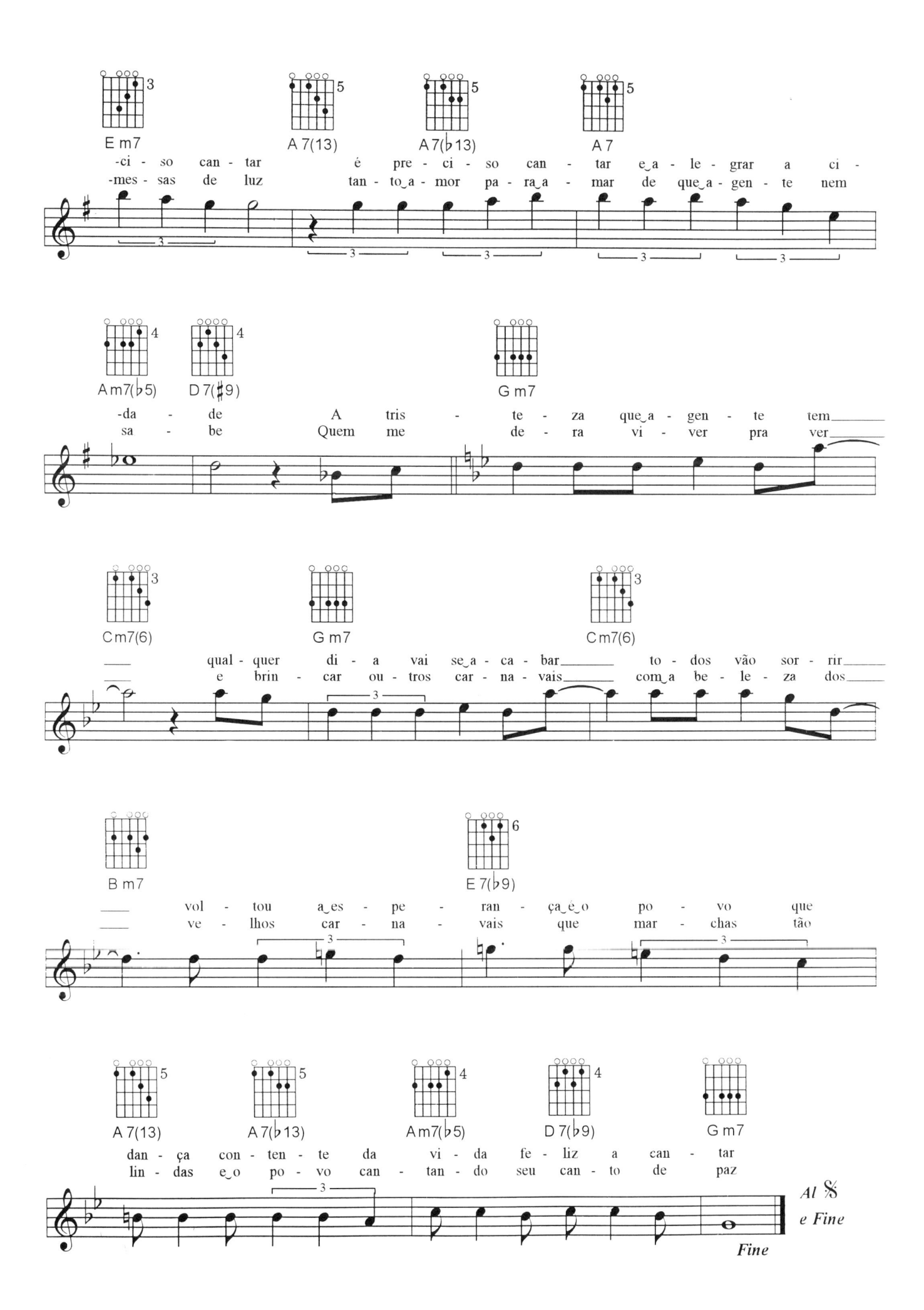

-ci - so can - tar é pre - ci - so can - tar e a - le - grar a ci-
-mes - sas de luz tan - to a - mor pa - ra a - mar de que a - gen - te nem

| Am7(♭5) | D7(♯9) | | Gm7 |

-da - de A tris - te - za que a gen - te tem___
sa - be Quem me de - ra vi - ver pra ver___

| Cm7(6) | Gm7 | Cm7(6) |

qual - quer di - a vai se a - ca - bar___ to - dos vão sor - rir___
e brin - car ou - tros car - na - vais___ com a be - le - za dos___

| Bm7 | | E7(♭9) | |

___ vol - tou a es - pe - ran - ça é o po - vo que
___ ve - lhos car - na - vais que mar - chas tão

| A7(13) | A7(♭13) | Am7(♭5) | D7(♭9) | Gm7 |

dan - ça con - ten - te da vi - da fe - liz a can - tar
lin - das e o po - vo can - tan - do seu can - to de paz

Al %
e Fine

Fine

MARIA MOITA
Samba bossa-nova

CARLOS LYRA e
VINÍCIUS DE MORAES

| Am6 | G#° | C7/G | F#°(b13) | F7M | E7(b13) |

Nas - ci lá na Ba - hi_____- a de mu - ca_____- ma com___ fei - tor____
pai dor - mi - a em ca_____- ma mi - nha mãe_____ no pi_- sa - dor

| Am7 D7(9) | Am7 D7(9) | Am7 | D7(9) | Am7 |

_____ Meu _____ Meu pai só di - zi - a as - sim___ ve - nha cá___ mi - nha mãe di - zi - a sim___

| D7(9) | Am6 G#° C7/G | F#°(b13) | F7M | E7(b13) |

_____ sem fa - lar___ Mu - lher_____ que fa - la mui___- to per - de lo_____- go o seu_____ a - mor____
que fa - la mui___- to per - de lo_____- go o seu_____ a - mor____

| Am7 D7(9) | Am6 Abm6 | C7/G | F#°(b13) | F7M | E7(b13) |

_____ Deus fez_____ pri - mei - ro o ho_____- mem a mu - lher_____ nas - ceu___ de - pois___
Mu - lher_____ so é que a mu - lher_____ tra - ba - lha sem___- pre pe_- los dois___

| Am7 D7(9) | Am7 D7(9) | Am7 | D7(9) |

_____ Por is-___ Ho - mem a - ca - ba de che - gar_____ tá com fo_- me a mu-

© Copyright by MCK PRODUÇÕES ARTÍSTICAS LTDA
© Copyright by TONGA (BMG MUSIC PUBLISHING BRASIL LTDA)
Todos os direitos autorais reservados para todos os países. *All rights reserved.*

| Am7 | D7(9) | | Am6 | Abm6 |

-lher tem que o - lhar_____ pe - lo homem____ E é_____ dei - ta - da em pé____

| C7/G | F#°(b13) | F7M | E7(b13) | Am7 D7(9) |

____ mu - lher tem é_____ que tra__- ba - lhar_____ O ri__-
E é

| Am6 | G#°(b13) | C7/G | F#°(b13) | F7M | E7(b13) |

____ -co a cor - da tar__- de já co - me_____ ça a re__- zin - gar____
____ -bre a cor - da ce__- do já co - me_____ ça a tra__- ba - lhar____

| Am7 | Am7 D7(9) | Am7 | D7(9) |

1. O po-____ **2.** Vou pe - dir pro meu Ba - ba__- lo - ri - xá____ Pra fa-

| Am7 | D7(9) | Am6 G#°(b13) | C7/G F#°(b13) |

-zer u - ma o - ra - ção____ pra Xan - gô____ Pra por_____ pra tra - ba - lhar____ gen - te que nun__-

| F7M | E7(b13) | Am7 D7(9) | Am7 D7(9) |

-ca tra__- ba - lhou_____ Pra por____

1. **2.**

MARIA NINGUÉM

Toada

CARLOS LYRA

CD FAIXA 19

| B7M | G#m7 | C#m7 | F#7(b9) |

Po- de ser que_ha- ja u- ma me- lhor po- de ser po- de

| B7M | G#m7 | C#m7 | F#7(#5) | D7M | Bm7 | Em7 | A7(b9) |

ser que_ha- ja u- ma pi- or mui- to bem mas i - gual a Ma- ri- a que_eu te- nho no mun- do_in- tei-

| Am7 | Am7/D | D7(13) | G7M | G6 | Am7 | D7(b9) |

-ri- nho_i- gual- zi- nha não tem. Ma - ri- a Nin- guém___ é Ma- ri- a e_é Ma-
-ri- a Nin- guém___ é um dom que mui- to

| G6 | Em7 | Am7 | D7(b9) | G7M | B7(b13) |

-ri- a meu bem___ se_eu não sou Jo- ão de na- da_a Ma- ri- a que_é
ho- mem não tem___ ha- ja vis- to quan- ta gen- te que cha- ma Ma-

| C7M | C#° | Bm7 | Bb7(13) | Am7 | Ab7(13) |

mi- nha_é Ma- ri - a Nin- guém_____ Ma-
-ri - a_e Ma- ri - a não vem_____ Ma-

© Copyright 1960 by EDITORA DE MÚSICA "INDÚS" LTDA. - PEERMUSIC DO BRASIL ED. MUS. LTDA.
Todos os direitos autorais reservados para todos os países. *All rights reserved.*

| G7M | G6 | Am7 | D7(b9) | G6 | Em7 |

-ri - a Nin - guém____ é Ma - ri - a co - mo as ou - tras tam - bém____
-ri - a Nin - guém____ é Ma - ri - a e é Ma - ri - a meu bem____

| Am7 | D7(b9) | G7M | Em7 | F#7 | F#7(#5) |

Só que tem que a in - da é me - lhor do que mui - ta Ma - ri - a que há por a-
se eu Não sou Jo - ão de

| B7M | G#m7 | Em7 | A7(b9) | D7M | D#° |

-í Ma - ri - as tão fri - as chei - as de ma - ni - as Ma - ri - as va-

| Em7 | A7(b9) | Am7(11) | Ab7(b5) |

-zi - as pro no - me que têm____ Ma-

| G7M | B7(b13) | C7M | D7/4(9) | Eb7M |

na - da a Ma - ri - a que é mi - nha é Ma - ri a Nin guém____

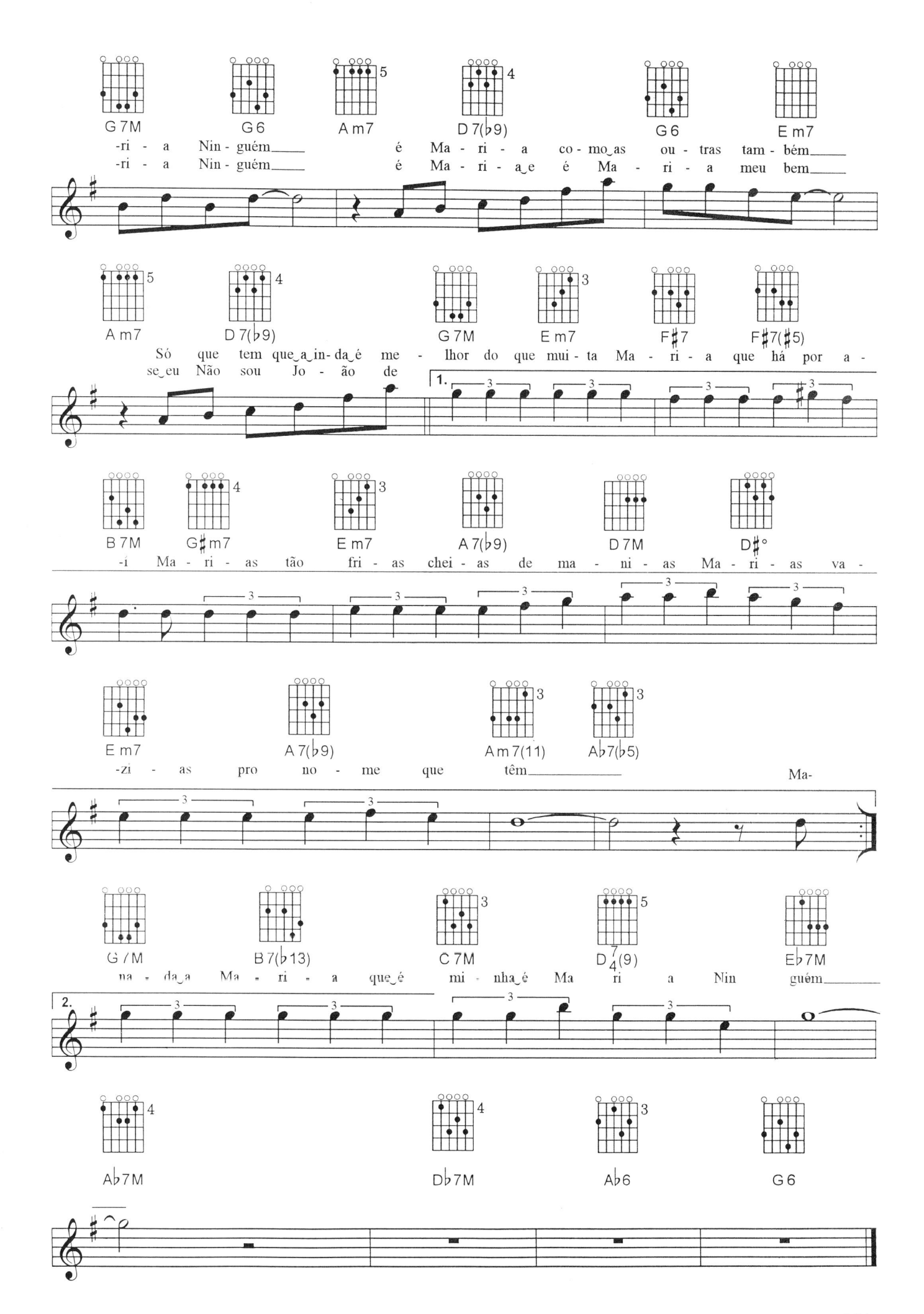

| Ab7M | Db7M | Ab6 | G6 |

MINHA NAMORADA

Samba-canção

CARLOS LYRA e
VINÍCIUS DE MORAES

| C7M | Dm7 | Em7 | A7(b9) |

Se vo - cê quer ser mi - nha__ na - mo - ra - da__ ah! que lin - da__ na - mo -
E se mais do que mi - nha__ na - mo - ra - da__ vo - cê quer ser__ mi - nha a -

| Dm7 | Bbm6 | D7(9) | G7(13) |

-ra - da__ vo - cê po - de - ri - a ser__ se qui - ser ser so - men - te
-ma - da__ mi - nha a - ma - da mas a - ma__ - da pra va - ler a - que - la a -

| C7M | Dm7 | Em7 | Eb° |

mi - nha e - xa - ta - men - te es__ - sa coi - si - nha__ es - sa coi - sa to - da mi -
-ma - da pe - lo a - mor pre__ - des - ti - na - da__ sem a qual a vi - da é na -

| Em7(b5) | A7(b13) | Bm7(11) | Bb7(#11) |

__ -nha__ que nin - guém mais po - de ser_____ vo - cê
-da__ sem a qual se quer mor - rer_____ vo - cê

| Am7 | Ab7M | C/G | C/Bb |

tem que me fa - zer um ju - ra - men - to__ de só ter um pen - sa -
tem que vir co - mi - go em meu ca - mi - nho__ e tal - vez o meu ca -

© Copyright by MCK PRODUÇÕES ARTÍSTICAS LTDA.
© Copyright by TONGA (BMG MUSIC PUBLISHING BRASIL LTDA).
Todos os direitos autorais reservados para todos os países. *All rights reserved.*

| F/A | Ab7 | G7/4(9) | G7(b9) |

-men - to___ ser só mi - nha a - té mor - rer___ e tam-
-mi - nho___ se - ja tris - te pra vo - cê___ os seus

| F 7M | G 7(#5) | C 7M | G m7 | C 7(b9) |

-bém de não per - der es - se jei - ti - nho___ de fa - lar de - va - ga-
o - lhos tem que ser só dos meus o - lhos___ e os seus bra - ços o meu

| F#m7(b5) | G/F | E 7(13) | E 7(b13) |

-ri - nho es - sas his - tó - rias de vo - cê
ni - nho no si - lên - cio de de - pois

| G m7 | C 7(b9) | F#m7(b5) | G/F | E 7(13) | E 7(b13) |

e de re - pen - te me fa - zer mui - to ca - ri - nho___ e cho-
e vo - cê tem que ser a es - tre - la der - ra - dei - ra mi - nha a-

| A 7(b9) | D 7(9) | Ab 7M | Db 7M | G7/4(9) |

-rai bem de man - si - nho___ sem nin - guém sa - ber por - quê___
-mi - ga e com - pa - nhei - ra___ no in - fi-

| G 7(b9) | | Ab 7M | Db 7M | C 7M |

-ni - to de nós dois___

D.C. e ⊕

SABE VOCÊ?

Samba bossa-nova

**CARLOS LYRA e
VINÍCIUS DE MORAES**

[CD FAIXA 21]

A7M(9) — A6/9 — D#m7 — G#7(b13)
Sa - be vo - cê o que é o a - mor___ não sa - be eu sei___
is - so que eu lhe di___ go e com ra - zão___

A7M(9) — A6/9 — F#m7 — B7(b9) — Em7
sa - be o que é um tro - va - dor___ não sa - be eu sei___ sa - be an-
que mais va - le ser men - di___ go que la - drão___ sei que um

Em/D — C#m7(b5) — F#7(b13)
dar de ma - dru - ga___ da___ ten - do a a - ma - da pe - la mão___
di - a há de che - gar___ is - so se - ja co - mo for___

Bm7 — Gm6 — Bm7 — F#m6
sa___ be gos - tar qual sa - be na___ da sa - be não___
em___ que vo - cê pra men - di - gar___ só mes___ mo a - mor___

Dm6/F — E7/4 — D#m7(11)
Vo - cê sa - be o que é u - ma flor___ não
Vo - cê po - de ser la - drão___ quan -

© Copyright by MCK PRODUÇÕES ARTÍSTICAS LTDA.
© Copyright by TONGA (BMG MUSIC PUBLISHING BRASIL LTDA).
Todos os direitos autorais reservados para todos os países. *All rights reserved.*

| G#7(b13) | A7M(9) | A6/9 | Em7 |

sa - be eu sei voce já chorou de dor pois
-to quiser mas não rouba o coração de u-

| A7(b9) | D6 | D7M |

eu chorei já chorei de mal de amor
-ma mulher você não tem alegria

| Dm7 | G7(9) | A7M | Dm6 |

já chorei de compaixão quanto a você meu camara-
nunca fez uma canção por isso a minha poesia

| C#m7 | F#7(b13) | F#m6 | E7(b9) | A6/9 |

-da qual o que não sabe não
ha! ha! você não rou - ba não

| A6/9 | Gm6 | F#m6 | E7(b9) | A6/9 |

E é por ha! ha! você não rou - ba não!

1. 2.

PRIMAVERA

Samba-canção

CARLOS LYRA e
VINÍCIUS DE MORAES

O meu a - mor so - zi - nho
há a - mor so - zi - nho
é as - sim co - mo um jar - dim sem flor
é jun - ti - nho que e - le fi - ca bom
Só que - ri - a a po - der ir
Eu que - ri - a dar - lhe to -
di - zer a e - la como é
-do o meu ca - ri - nho eu que -
tris - te se sen - tir sau - da - de
-ri - a ter fe - li - ci - da - de

© Copyright by MCK PRODUÇÕES ARTÍSTICAS LTDA.
© Copyright by TONGA (BMG MUSIC PUBLISHING BRASIL LTDA).
Todos os direitos autorais reservados para todos os países. *All rights reserved.*

	E/G#	G°
	É que eu gosto tanto de-	
	É que o meu amor é tan-	

F#m7	B/A		E 7M/G#
-la	que é capaz de la gos-		
-to	é um encanto que não		

G°	F#m7(11)	F7(#11)	E 7/4(9)
-tar	de mim	e acontece	que eu es-
tem	mais fim	e no entanto e-	le nem

E7(b9)		A7M	D#m7(b5)	G#7(b13)
-tou mais longe dela				que da es-
sabe que isso existe				é tão

C#m7		F#7(#11)	C/Bb	B/A
-trela a reluzir na tarde es-				
triste se sentir saudade a-				

E/G#	C7/G		F#m7	B7(9)
-trela eu lhe diri-			a desce à
mor	eu lhe direi		a mor que eu

| E7/4(9) | E/D | A/C# | Am/C |

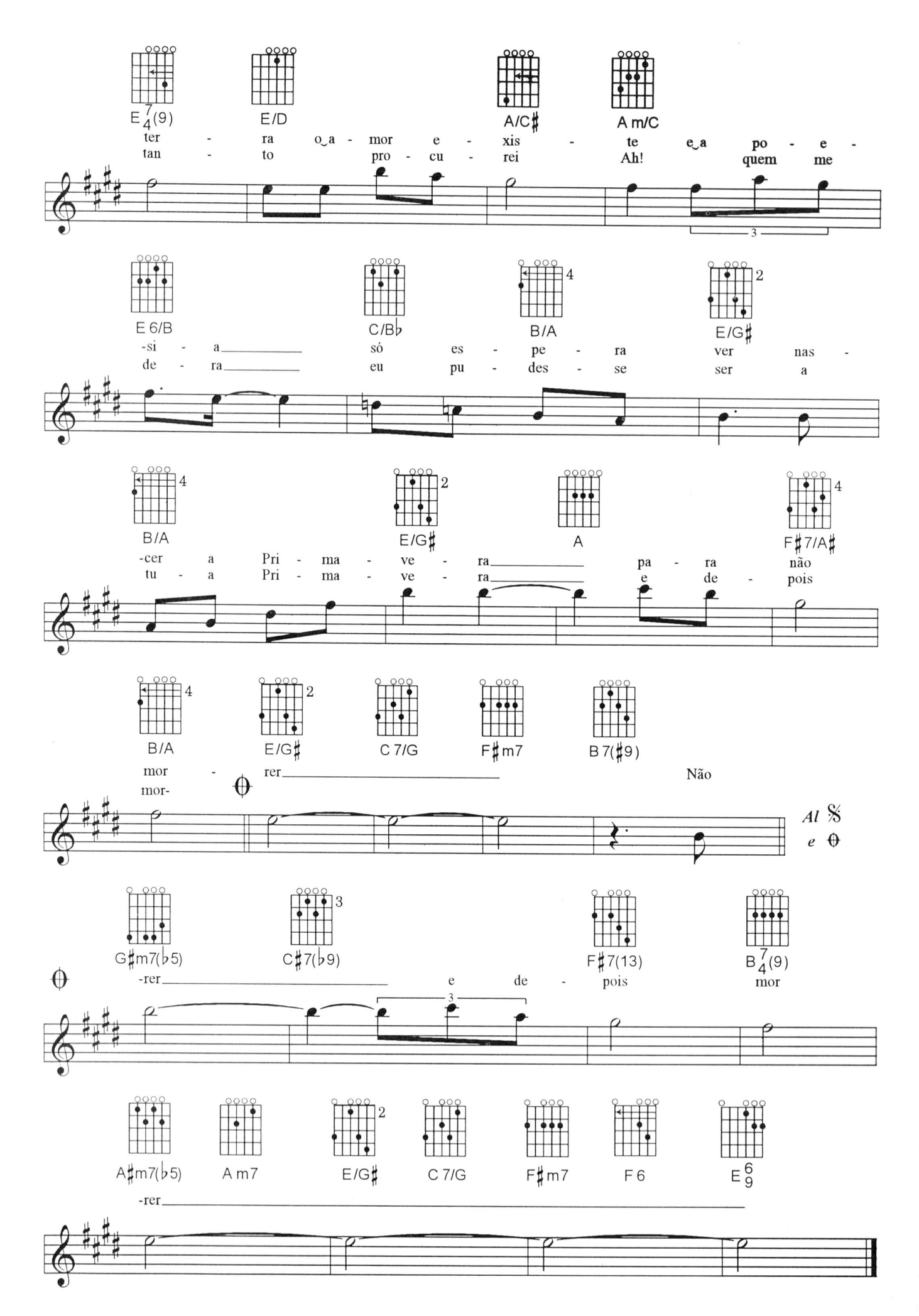

ter- ra o a - mor e - xis - te e a po - e -
tan - to pro - cu - rei Ah! quem me

| E6/B | C/B♭ | B/A | E/G# |

-si - a_____ só es - pe - ra ver nas -
de - ra_____ eu pu - des - se ser a

| B/A | E/G# | A | F#7/A# |

-cer a Pri - ma - ve - ra_____ pa - ra não
tu a Pri - ma - ve - ra_____ e de - pois

| B/A | E/G# | C7/G | F#m7 | B7(#9) |

mor - rer_____ Não
mor-

Al %
e ⊕

| G#m7(♭5) | C#7(♭9) | | F#7(13) | B7/4(9) |

-rer_____ e de - pois mor

| A#m7(♭5) | Am7 | E/G# | C7/G | F#m7 | F6 | E6/9 |

-rer_____

SAMBA DO CARIOCA
Samba bossa-nova

CARLOS LYRA e
VINÍCIUS DE MORAES

| Dm7 | G7(13) | Dm7 | G7(13) |

Va - mos Ca - ri - o - ca sai - do teu so - no de - va - gar_____ O
Vai o teu__ ca - mi__- nho é tan-- to ca - ri - nho pa__- ra dar_____ Cui-
Va - mos mi -- nha gen__- te é ho__- ra da gen - te tra__- ba - lhar_____ O
Eh! vi - da tão bo__- a só__ coi - sa bo - a pra__ pen - sar_____ Sem

| Dm7 | G7(13) | Gm7 | C7(♭9) | F7M | F6 |

di - a já__ vem vin__- do a - í e o sol_____ já vai__ rai - ar_____ São
-dan- do teu__ ben - zi__- nho que tam- bém_____ vai te__ cui - dar_____ Mas
di - a já__ vem vin__ do a - í e o sol_____ já vai__ rai - ar_____ E a
ter que pa__- gar na__- da céu e ter__- ra sol e mar_____ E a -

| B♭7M | D7/A | Fm6/A♭ | D7/A | Gm | Gm(7M) |

Jor - ge teu__ pa - dri__- nho te dê ca -- na pra__ to- mar_____ Xan - gô teu pai__ te dê
sem - pre mo_- ran - di__- nho em quem não tem__ com quem__ mo- rar_____ Na ba- se do__ so - zi _-
vi - da es- tá__ con- ten__- te de po- der__ con - ti__- nu - ar_____ E o tem- po vai__ pas- san_-
-in - da ter__ mu- lher____ e ter o sam__- ba pra__ can- tar_____ O sam- ba que é o__ ba- lan_-

| Gm7 | Gm6 | Gm(♭6) | Gm6 | A7(♭9) | Gm(♭6) | Am7 | Dm7 |

_____ mui - tas mu - lhe - res pa__- ra a - mar_____
_____ -nho não dá pé_____ nun - ca__ vai dar_____
_____ -do sem von - ta_____- de de__ pas - sar_____
_____ -ço da mu- lher___ |1.2.3. |4. que sa__- be a- mar_____

© Copyright by MCK PRODUÇÕES ARTÍSTICAS LTDA.
© Copyright by TONGA (BMG MUSIC PUBLISHING BRASIL LTDA).
Todos os direitos autorais reservados para todos os países. *All rights reserved.*

SAUDADE FEZ UM SAMBA

Samba bossa-nova

CARLOS LYRA e
RONALDO BÔSCOLI

D6/F#	F°	Em7	A7(b9)		

Dei- xa que meu sam___- ba sa- be tu___- do sem vo- cê____ não a___- cre- di-

D6/F#	F°	Em7	A7(b9)	Am7

____-to que meu sam____- ba só de- pen____- da de vo- cê____ A dor é mi- nha em mim do- eu

D7(b9)	G7M	C#m7/4	F#7(b13)	Bm7/4	E7(13)

____ a cul- pa é su- a o sam- ba é meu____ En- tão não va- mos mais bri- gar_____ sau- da-

A7/4(9)	A7(b9)	F#m7(b5)	B7(b9)	E7(9)

____-de fez um sam___- ba____ Sau- da____- de fez um sam___- ba____ Fez um sam-

A7/4(9)	A7/4(b9)	G#m7(b5) Gm6	D/F# F° Em7	Eb6/9/Bb	D6/9/A

____-ba em seu lu - gar_____

© Copyright 1974 by IRMÃOS VITALE S/A IND. E COM. - São Paulo - Brasil.
Todos os direitos autorais reservados para todos os países. *All rights reserved.*

SE É TARDE ME PERDOA

Samba bossa-nova

CARLOS LYRA e RONALDO BÔSCOLI

CD FAIXA 25

| F7M | Bb7(9) | F7M | Bb7(9) |

Se é tar - de_____ me per-do_____ a_____ mas eu não sa - bi-
de_____ me per-do_____ a_____ tra - go de - sen - can -

| F7M | A7(b13) | Bb7M | Am7 | D7(b9) |

____ -a que vo - cê sa - bi_____ a que a vi - da é tão bo - a_____ Se e
____ -tos de a - mo - res tan_____ tos pe - la ma - dru - ga - da_____ Se é

| Gm7 | A7(b5) | Dm7 | G7(13) |

tar___- de me_____ per - do_____ a____ eu che - guei par - tin_____ do eu che - guei men - tin___-

| G7 | C7/4(9) | C7(b9) | Gm7 |

____ -do eu che - guei à to_____ a_____ Se é tar-_____ tar - de_____

| Bbm6 | Am7 | Abm7 | Gm7 | C7(#5) | F° | F6 |

____ me____ per-do_____ - a_____ eu vi - nha só can - sa_____ - do

© Copyright 1974 by IRMÃOS VITALE S/A IND. E COM. - São Paulo - Brasil.
Todos os direitos autorais reservados para todos os países. *All rights reserved.*

VOCÊ E EU

Samba bossa-nova

CARLOS LYRA e
VINÍCIUS DE MORAES

CD FAIXA 26

D6/9/A — G#° —
Po- dem me cha- mar___ e me pe- dir___ e me ro- gar___ E po- dem mes-
dem me in- tri- gar___ e_a- té sor- rir___ e_a- té cho- rar___ E po- dem mes-

D6/9/A — F#m7(b5) — B7(b9) — Em7
___-mo fa- lar mal___ fi- car___ de mal___ que não faz mal___ Po- dem pre- pa- rar___
___-mo i_ma gi- nar___ o que___ me- lhor___ lhes pa- re- cer___ Po- dem es- pa- lhar

Gm6 — D6/F# — F°(b13)
___ mi- lhões___ de fes-___ tas ao lu- ar___ que_eu não___ vou ir___ me- lhor nem pe- dir que_eu não___ vou ir___
___que_eu_estou___can sa___ do de vi- ver

Em7 — A7(#5) — Gm6 — D6/F# — B7(b9)
___ não que- ro ir___ e tam-___ bém po-
po___ e que_é_u_-_ ma pe-___ na pa- ra quem___ me co- nhe- ce

E7(9) — F° — F#m7(b5) — B7(b9) — E7(9) — A7(13) — D6/9/A
-eu Eu sou mais___- vo- cê___ e eu

© Copyright by MCK PRODUÇÕES ARTÍSTICAS LTDA.
© Copyright by TONGA (BMG MUSIC PUBLISHING BRASIL LTDA).
Todos os direitos autorais reservados para todos os países. *All rights reserved.*

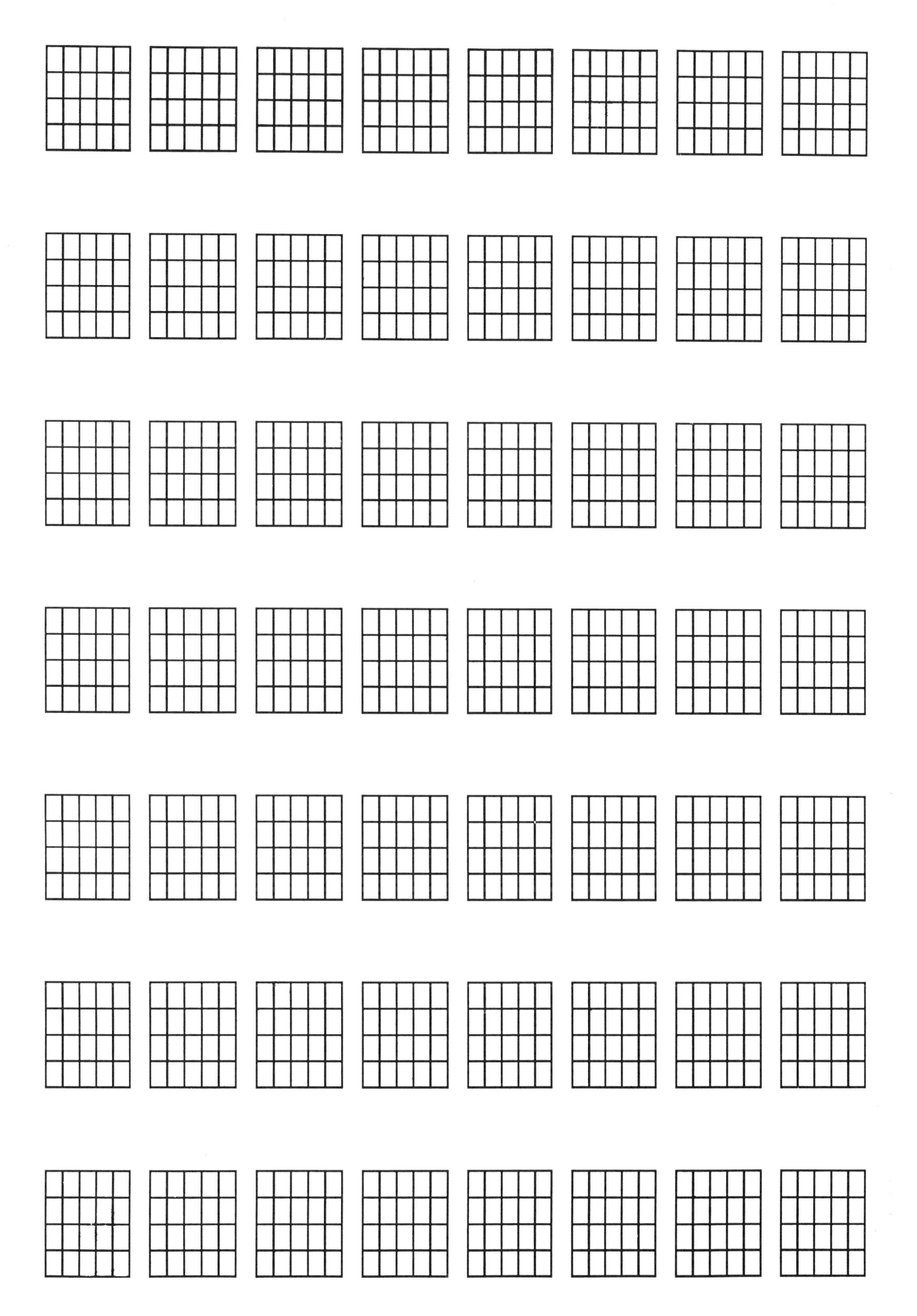

BIBLIOGRAFIA

ADOLFO, Antonio. **O livro do músico**. Rio de Janeiro, Lumiar Editora, 1989.

CARCASSI, Matteo. **Método de violão (técnica do instrumento)**. Rio de Janeiro, Irmãos Vitale, 1948.

CHEDIAK, Almir. **Dicionário de acordes cifrados.** Rio de Janeiro, Irmãos Vitale, 1984.

CHEDIAK, Almir. **Harmonia & Improvisação, Volumes I e II**. Rio de Janeiro, Lumiar Editora, 1986.

LUMIAR EDITORA. **Songbook Carlos Lyra**. Rio de Janeiro, 1994.

PRIOLLI, Maria Luiza de Mattos. **Harmonia (de concepção básica até expressão contemporânea)**. Rio de Janeiro, Casa Oliveira de Música.

PRIOLLI, Maria Luiza de Mattos. **Princípios básicos de música para a juventude**. Rio de Janeiro, Casa Oliveira de Música.

Este livro foi impresso a partir de fotolitos fornecidos pelo cliente, pela Cherma Indústria da Arte Gráfica, em Março de 2009.